Manhattan Girls

Les filles relèvent le défi

Joanna Philbin

Manhattan Girls
Les filles relèvent le défi

Traduit de l'anglais (américain)
par Rebecca de Hassard

wiz
Albin Michel

Joanna Philbin est née à Los Angeles et a grandi à New York. Elle est la fille du présentateur de télévision Regis Philbin. Elle a étudié l'art à l'université de Brown et à l'université de Notre Dame. Elle vit à Santa Barbara, en Californie. *Manhattan Girls : Les filles relèvent le défi* est la suite de *Manhattan Girls* (Wiz).

Titre original :
THE DAUGHTERS BREAK THE RULES
(Première publication : Poppy, an imprint of Little, Brown and Company, New York, 2010)
Cette édition a été publiée en accord avec
Little, Brown and Company (Inc.), New York, USA.
© 2010, Joanna Philbin
Tous droits réservés, y compris droits de reproduction totale ou partielle, sous toutes ses formes.

Pour la traduction française :
© Éditions Albin Michel, 2012

À JJ.

Nous soussignées,
les « filles de »,

avons établi les règles suivantes afin de vivre aussi heureuses et tranquilles que possible :

1. Ne jamais lire la presse people ni les ragots sur Internet. En cas de force majeure, essayer au moins de ne pas regarder ce qui concerne nos parents.

2. Tous les amis sont bons à prendre, mais seule une autre « fille de » sait réellement à quoi ressemble notre vie. Rechercher au maximum leur compagnie.

3. Ne jamais oublier que les amies passent toujours avant les garçons. Pas d'exception.

4. Être gentilles avec tout le monde. Si malgré cela on nous trouve encore prétentieuses, laisser glisser.

5. S'il faut absolument parler d'un drame parental, le faire uniquement avec une autre « fille de » (voir règle numéro deux).

6. Ne jamais parler de ses parents à la presse. Surtout quand les journalistes campent devant chez nous et se roulent par terre pour la moindre info.

7. Ne jamais entraîner sur le tapis rouge un garçon avec qui on sort depuis moins d'un mois. *Idem* pour l'emmener en jet privé, en tournée, etc.

8. Si une « fille de » est critiquée sur un blog, toujours écrire un *post* de soutien, même quand on ne la connaît pas.

9. Quand on rencontre quelqu'un de nouveau, ne lui donner qu'un prénom. Pas de nom.

10. Nous ne sommes pas nos parents, et nos parents ne sont pas nous, aussi célèbres soient-ils. Même (et surtout) s'ils nous mettent la honte de notre vie.

Chapitre 1

Carina Jurgensen malaxait convulsivement la balle de caoutchouc tout en regardant par la vitre teintée de leur voiture qui filait à travers la ville. La Mercedes noire de son père, rapide et profilée comme la Batmobile, filait vers l'ouest sur la 42ᵉ Rue, survolant les nids-de-poule et doublant prestement les taxis. Ils se dirigeaient apparemment vers le Lincoln Tunnel, ce qui ne pouvait signifier qu'une chose : ils quittaient Manhattan. En voyant défiler les lumières de Times Square, Carina eut la sensation qu'elle partait pour de bon.

À côté d'elle sur la banquette arrière, son père, Karl Jurgensen, pianotait des deux pouces sur son BlackBerry, totalement concentré, les sourcils froncés. Depuis l'instant où ils étaient montés dans la voiture, il n'avait pas dit un mot, pas même à leur chauffeur, Max. Et ça, elle le savait, c'était mauvais signe. Quelle que soit leur destination, il était clair que son père avait déjà tout organisé. Et il pouvait faire absolument tout ce qu'il voulait. Quand on est milliardaire, rien n'est impossible. Si l'on veut arracher son enfant unique à New York par un soir ordinaire de novembre et le faire disparaître entièrement, c'est faisable. Personne ne vous arrêtera.

Lizzie et Hudson, les meilleures amies de Carina, étaient probablement en train d'arriver chez elle. Elle leur avait envoyé un SMS quelques minutes avant de partir et, à présent, le portier leur expliquait sans doute qu'elle venait de s'en aller, accompagnée de son père et chargée d'un simple sac de sport. Elles devaient être complètement paniquées. Il y avait des semaines qu'elles la mettaient en garde contre un événement de ce genre. Carina les imaginait dans le hall d'entrée : Hudson faisant frénétiquement les cent pas, Lizzie regardant fixement dans le lointain en tirant sur ses boucles rousses, s'efforçant d'évaluer la gravité de la situation. Bien sûr, elles allaient la bombarder de textos et d'appels téléphoniques, mais Carina n'y aurait pas accès. Son iPhone était dans son sac, lui-même enfermé dans le coffre. Et même si elle l'avait eu sur elle, elle n'aurait pas pu leur parler, assise juste à côté de son père, lequel émettait des ondes de rage froide qu'elle ne lui avait jamais connues.

– Où va-t-on ? finit-elle par demander lorsqu'elle osa le regarder.

Karl ne leva pas les yeux de son BlackBerry. Dans la pénombre de l'habitacle, Carina songea que, vu sous cet angle, son père, pourtant âgé de quarante-deux ans, aurait presque pu passer pour un étudiant. Il faut dire qu'il avait encore d'épais cheveux châtains, quoique parsemés de fils d'argent, et une mâchoire carrée de star de cinéma. Son passé de champion d'aviron à Harvard lui avait laissé un physique svelte et des épaules larges qu'il entretenait grâce à un coach personnel et à des ordres stricts donnés à son cuisinier.

– Papa ? insista-t-elle. Tu peux me dire où on va ?

Sans prendre la peine de la regarder, il secoua la tête.

– Tu as perdu le droit d'être informée, dit-il, glacial, sans cesser de pianoter.

Carina sentit sa gorge se serrer d'appréhension. Au fil des années, elle s'était disputée bien des fois avec son père, mais là, c'était différent. Elle devait s'attendre à de gros ennuis... le genre d'ennuis susceptibles de changer sa vie à jamais, et pas en mieux.

Tout avait commencé en septembre, deux mois plus tôt. Comme d'habitude, ils dînaient seuls en silence à l'immense table de leur salle à manger – lui à un bout, parcourant une pile de rapports sur l'état de ses affaires et envoyant des e-mails à ses larbins sur son éternel Black-Berry, elle à l'autre, faisant un exercice de géométrie tout en conversant par textos avec Lizzie et Hudson – lorsque, soudain, il avait dit :

– Mets ça de côté une minute. Il faut que je te parle.

Levant la tête, elle avait vu que son expression était sévère, et, sentant la menace, elle avait été parcourue de picotements. « Le Jurg » (comme elle l'appelait avec ses amies) n'était pas du genre bavard. Lorsqu'il prenait la parole, en général, c'était soit pour faire une annonce, soit pour donner des ordres. Là, il semblait sur le point de faire les deux.

– J'aimerais que tu commences à venir au bureau, avait-il dit en la fixant d'un regard aussi pénétrant qu'un rayon laser. Trois jours par semaine. Le mercredi et le vendredi après tes cours, et toute la journée du samedi. Ce sera un début.

– Venir à ton bureau ? Mais pour quoi faire ?

13

La voix de Carina avait résonné entre les boiseries et le lustre en cristal gros comme une voiture.

Le Jurg avait joint le bout des doigts.

— Tu es ma seule descendance, Carina. Il est temps que tu te familiarises avec le monde dont tu hériteras un jour.

Ce monde, c'était Metronome Media, son groupe de médias : presse quotidienne, magazines, chaînes de télévision câblées et réseaux sociaux sur le Net. Il avait lancé la société avec un simple hebdomadaire, alors qu'il était encore étudiant à Harvard. Vingt ans plus tard, celle-ci était le plus vaste empire médiatique de l'hémisphère Nord. Chaque jour, une personne sur trois lisait une publication Metronome ou visitait un site web lui appartenant. Et ce succès avait fait de lui un des hommes les plus riches du monde. Il possédait cinq résidences, une collection de Jaguar anciennes, un yacht de quinze mètres, un hélicoptère, un avion privé, et une collection d'art de la fin du xxe siècle digne du musée Guggenheim. Des célébrités, des people et des chefs d'État l'appelaient sur sa ligne privée. Il avait même flirté une fois ou deux avec l'idée de se présenter à la mairie de New York, avant de reculer au dernier moment, au grand soulagement de Carina.

— Papa, je connais parfaitement ton monde, avait-elle répondu en le regardant droit dans les yeux. Et je ne veux pas en hériter.

Le Jurg l'avait fixée d'un air grave.

— Tu ne crois pas que c'est un peu tôt pour en juger ? Tu as quatorze ans. Tu ne sais pas encore ce que tu veux. Et très franchement, mieux vaut que tu commences maintenant, plutôt que de débarquer dans les affaires à vingt-deux ans. Ainsi, dès la fin de tes études à Wharton, tu seras prête.

– Je vais aller à Wharton ?

– Tu adorais venir dans mon bureau quand tu étais petite, avait-il poursuivi en coupant son steak. Tu te souviens ? quand tu t'asseyais dans mon fauteuil ? et quand tu faisais semblant de présider une assemblée, dans la salle de réunions ?

– J'avais huit ans, papa. J'aimais aussi jouer à la poupée.

– Carina, j'avais ton âge lorsque j'ai commencé à travailler, avait continué son père d'un ton plus sérieux. J'étais livreur de journaux. Je ne te demande pas de faire la même chose. Simplement d'y consacrer quelques heures par semaine.

– Mais je n'ai pas que ça à faire ! avait lancé Carina en se redressant sur sa chaise. Je suis capitaine de mon équipe de foot cette année. Tu le savais, au moins ? Et je suis inscrite au MUN[1]. Et les week-ends à Montauk ? Le surf ? Et mes amies, je les vois quand ?

Son père avait alors posé sa fourchette et laissé échapper un imperceptible soupir agacé.

– Carina, le foot et le MUN sont des loisirs. Ton avenir n'est pas là.

Avant qu'elle ait pu réagir, la porte de la cuisine s'était ouverte et Marco était entré. Comme tout le personnel, l'homme était vêtu d'un polo et d'un pantalon de toile beige, et ses mocassins glissaient sans bruit sur le parquet verni.

---

1. Club de débats inspiré des Nations unies.

– Un appel pour vous, monsieur, avait-il annoncé de sa voix douce et déférente. Tokyo.

Le Jurg avait bu une dernière gorgée de thé glacé – il ne prenait jamais d'alcool –, s'était levé et avait posé sa serviette en soie damassée sur la table.

– Tu commences la semaine prochaine, avait-il tranché avant de sortir de la pièce.

Carina était restée assise un moment dans la salle à manger déserte, après quoi elle avait repoussé sa lourde chaise de chêne. C'était donc officiel, avait-elle songé. Son père ne savait absolument pas qui elle était.

Depuis quatre ans, c'est-à-dire depuis le divorce de ses parents, le Jurg et elle cohabitaient tels des colocataires résolus à ne pas être amis. Ils s'évitaient dans les couloirs, conversaient poliment s'ils y étaient obligés et, de manière générale, faisaient comme si l'autre ne vivait pas là. Ils dînaient ensemble au moins deux fois par semaine, mais ces repas étaient silencieux : chacun envoyait des mails ou des SMS entre deux bouchées. Carina avait appris à s'en tenir à « ses » espaces personnels dans leur triplex avec terrasse : la pièce télé, la cuisine et sa chambre. Tout cela avait bien sûr un avantage : la plupart du temps, elle allait et venait à sa guise, contrairement à ses amies Lizzie et Hudson, dont les parents étaient parfois un peu trop présents. Seul Otto, le vigile qui surveillait la porte, savait où elle était.

Mais parfois, cette distance entre son père et elle la déprimait. Il ne savait absolument rien d'elle, et ne cherchait pas à en apprendre davantage. Les pères n'étaient-ils pas censés savoir certaines choses sur leurs enfants, ou au moins *vou-*

16

loir savoir ? Par exemple, il ignorait totalement combien elle aimait surfer sur les vagues de Honolua Bay, combien il lui tardait d'avoir dix-huit ans pour pouvoir partir en expédition aventure en Patagonie, combien elle rêvait de battre l'équipe de foot du lycée du Sacré-Cœur lors du prochain championnat et d'être portée en triomphe par ses coéquipières comme dans les téléfilms à l'eau de rose.

Mais le Jurg ne s'embarrassait pas de tels détails. On le voyait toujours traverser l'appartement à grands pas pour se rendre ailleurs : au bureau, à une réunion, à une séance de sport. Il avait un emploi du temps de ministre. Et dans cet emploi du temps, il n'y avait pas de place pour elle.

Désormais, le fait qu'il veuille la voir « se familiariser avec les affaires » ne faisait que confirmer à quel point il la connaissait mal. D'accord, elle n'avait pas encore de projet de vie bien défini, à part prendre une année sabbatique avant la fac pour aller surfer dans les îles Fidji et passer un brevet d'accompagnateur d'expéditions aventure. Mais elle savait une chose : jamais elle ne serait une femme d'affaires. Elle se moquait totalement de gagner de l'argent. Et de l'argent en général. L'idée de passer le reste de sa vie auprès d'un père glacial, préoccupé et obsédé par le fric, était carrément inenvisageable.

Pendant quelques jours, après cette scène, elle avait fait semblant d'oublier leur conversation. Son père n'allait quand même pas l'obliger à travailler pour lui. Mais elle savait, d'expérience, que lorsqu'il affirmait vouloir quelque chose, seule une bombe nucléaire ou peut-être une catastrophe naturelle aurait été en mesure de l'arrêter. Après quelques regards de marbre à travers la table et quelques rappels assez lourds – notamment, une assistante l'appelant au sujet de son badge –, elle s'était fait remplacer dans l'équipe de foot, s'était désistée du MUN, et s'était rendue au bureau.

Comme elle s'y attendait, le travail était ennuyeux à mourir. Elle ne faisait que photocopier des rapports, des mémos et des graphiques de ventes auxquels elle ne comprenait strictement rien. Comme à la maison, elle ne voyait jamais son père. Celui-ci l'avait collée dans les pattes de son directeur des opérations, Ed Bracken, qu'elle avait aussitôt surnommé le Fourmilier, ou le Larbin Rampant. Ce Larbin Rampant était un quinquagénaire aux cheveux rares et gras, aux mains moites, au pas traînant. Il flattait le Jurg avec une telle bassesse que Carina n'en croyait pas ses oreilles. Pour sa part, elle trouvait que son père aurait été bien mieux servi par un jeune diplômé ultracanon de vingt-cinq ans, ou au moins par un homme qui ne vivait plus chez sa mère. Mais le Larbin Rampant collait aux basques du Jurg vingt-quatre heures sur vingt-quatre, sept jours sur sept, et c'était à lui qu'elle devait rendre des comptes. L'horreur.

Et encore, il y avait pire que l'ennui et qu'Ed Bracken : la sensation que son avenir se refermait lentement sur elle. Assise à son petit bureau dans le gratte-ciel stérile et vitrifié de son père, à quarante étages au-dessus de Times Square, elle se sentait aussi prisonnière que dans un ascenseur en panne. Rien de ce qu'elle avait envie de faire ou d'apprendre n'aurait jamais d'importance. Sa vie entière était déjà tracée, et Carina marchait tout droit vers un et un seul point final : être le Mini-Moi de son père.

C'est alors, par un samedi matin calme de la fin septembre, qu'elle était tombée sur le mémo qui avait tout changé.

Cette note confidentielle concernait Jurgensenland, la grande réception caritative que donnait son père chaque année. Pendant le premier week-end de septembre, il transformait son domaine de Montauk en parc d'attractions, avec tous les manèges possibles : tasses à thé, grande roue, et même un tour en sous-marin dans un de ses lacs. L'entrée au grand bal du soir coûtait dix mille dollars. Toutes les recettes étaient reversées à Oxfam, la célèbre organisation qui se consacrait à combattre la misère dans le monde. Le Jurg avait grandi dans la pauvreté au fin fond de la Pennsylvanie, et il avait connu la faim. Chaque fois que Carina s'inquiétait que son père soit devenu une machine à faire de l'argent sans vergogne, cet engagement caritatif la rassurait. La lutte contre la misère était devenue un de ses chevaux de bataille. Voyant que l'objet de la note était Jurgensenland, elle l'avait ramassée dans la bannette posée sur le bureau d'Ed Bracken. Elle émanait du comptable de son père. Celui-ci commençait par expliquer que la dernière réception avait rapporté trois millions de dollars. Mais ensuite, Carina lut :

Sur cette somme, deux millions seront immédiatement reversés à l'organisation mentionnée ci-dessus. Le million restant sera retenu, comme convenu avec M. Jurgensen, pour son usage personnel.

Son usage personnel. Carina avait lu et relu ces derniers mots. Au début, elle n'avait pas compris leur sens. Et puis, peu à peu, celui-ci s'était fait jour.

Il garde l'argent, avait-elle compris avec un frisson glacial. *Il détourne des fonds de charité.*

Plus elle y songeait, moins cela l'étonnait. Ce ne serait pas la première fois que son père aurait triché. Sa mère ne lui avait jamais dit qu'il l'avait trompée, mais Carina en avait compris assez long pour s'expliquer leur divorce. Debout dans le bureau d'Ed, le mémo à la main, elle avait subitement repensé à une nuit vécue alors qu'elle avait dix ans. Elle s'était revue écoutant ses parents derrière la porte fermée de la chambre, sa mère en sanglots, son père lui hurlant à tue-tête : « Je fais ce que je veux, bon Dieu ! C'est tout ce que tu mérites, égoïste comme tu es ! »

Elle avait jeté un coup d'œil dans le couloir. L'assistante d'Ed n'était pas à son bureau. Carina savait qu'elle n'avait pas beaucoup de temps devant elle.

Vite, elle avait emporté la note jusqu'à la photocopieuse. Sans prendre le temps de réfléchir, elle l'avait posée sur la vitre, avait refermé le couvercle et appuyé sur le bouton vert. La machine avait craché une copie. Deux secondes plus tard, l'original était de retour dans la bannette. Ensuite, Carina avait plié la photocopie et l'avait fourrée dans sa besace.

Pendant les six semaines suivantes, elle avait gardé le document dans le bureau de sa chambre, caché sous son passeport et son brevet de plongée sous-marine. Mais elle y pensait constamment. Elle en avait parlé à Lizzie et à Hudson. Et tous les soirs, couchée dans son lit, elle s'était demandé ce qui arriverait si le monde apprenait la nouvelle – grâce à Internet, par exemple. Elle pourrait toujours le vérifier si les choses tournaient vraiment mal.

Et justement, au début de novembre, les choses avaient vraiment mal tourné.

– Ed dit que tu ne fais aucun effort, lui avait lancé son père, un soir où il l'avait convoquée dans son bureau.

Il se balançait d'avant en arrière dans son fauteuil pivotant, le visage de marbre, en se tapotant les lèvres du bout de l'index, ce qui signifiait : « J'en ai plus qu'assez. »

– D'après lui, tu passes ton temps à faire du shopping sur Internet. Ou alors, tu traînes dans les couloirs d'un air maussade. Une fois, il t'a même trouvée endormie sur le canapé de ton bureau.

Elle avait saisi une balle antistress sur la table de son père et s'était mise à la malaxer.

– Ce n'est pas ma faute si je n'ai pas grand-chose à faire, avait-elle dit pour se défendre.

– Eh bien, *trouve* quelque chose, avait tranché le Jurg. Tu assistes aux réunions. Enfin, Carina, il *faut* que tu t'appliques ! Je ne peux pas te mâcher le travail. Tu es censée apprendre, ici.

– Alors, si ça t'intéresse tellement que j'apprenne quelque chose, pourquoi est-ce ton larbin rampant qui s'occupe de moi ? avait-elle répondu du tac au tac, les yeux piquants de larmes.

– Parce que j'ai une entreprise à faire tourner ! (Il avait baissé les yeux vers la pile de papiers posée devant lui et secoué la tête.) Je suis sérieux. Je te croyais assez mûre pour savoir comment te comporter. C'est de ma *boîte* qu'il s'agit. Je crois que je t'ai surestimée.

Quelque chose de douloureux se logea dans la gorge de Carina. Elle ne se pliait à ce stage idiot que pour lui faire plaisir et il la critiquait ? C'était injuste.

– Essaie au moins de ne pas me faire honte, avait-il

21

ajouté avec un regard dur. Tu es ma fille. Ne l'oublie pas. Tu peux disposer.

Sur ces mots, il avait décapuchonné son stylo et s'était remis au travail.

Carina avait fait volte-face et était sortie à grands pas, trop furieuse pour pleurer. Alors donc, cela ne suffisait pas qu'elle ait renoncé à tout ce qu'elle aimait. Cela ne suffisait pas qu'elle ait sacrifié ses samedis, et sa vie sociale par la même occasion. Malgré tout cela, elle se faisait encore disputer ?

Une fois dans sa chambre, elle avait couru jusqu'à son bureau et ouvert le tiroir. Elle n'avait plus aucun scrupule à expédier le mémo sur Jurgensenland dans le cyberespace. Son père était tout sauf un bienfaiteur de l'humanité. C'était un sale type et un tricheur, et le monde entier pouvait bien le savoir.

Dès le lendemain, elle scannait la note dans la salle informatique du lycée Chadwick avant de rédiger un e-mail implacable :

À qui de droit :
J'ai de bonnes raisons de penser que Karl Jurgensen, deux cent vingt-cinq milliards de dollars au compteur, ne reverse pas tous les fonds qu'il a levés lors de son dernier week-end caritatif à Jurgensenland. Voir pièce jointe en guise de preuve. Merci beaucoup.

Elle s'était créé une fausse adresse mail, en n'utilisant que ses initiales et son second prénom comme identifiant. Et puis, d'un clic, elle avait envoyé ce brûlot au *Smoking Gun*, un site web connu pour ses scoops révélant les secrets des puissants de ce monde. Elle était ensuite sortie de la salle informatique pour se rendre en cours d'espagnol, calme et satisfaite, comme si elle venait de courir – et de gagner – un cent mètres. Enfin, elle s'était vengée.

En rentrant chez elle, quelques heures plus tard, elle avait consulté le site web sur son MacBook Air. L'article était déjà en ligne. Elle avait eu un hoquet en découvrant le gros titre, en énormes lettres rouge vif : LE MILLIARDAIRE PHI-LANTHROPE SERAIT-IL UN VOLEUR ? VOYEZ LE DOCUMENT QUI SEMBLE L'INDIQUER. En dessous figurait le mémo. À côté, une légende : la note « accablante » émanait d'une « source anonyme très proche de Karl Jurgensen ». Les mots *usage personnel de Karl Jurgensen* étaient surlignés et agrandis, au cas où les lecteurs seraient passés à côté.

Carina était restée assise sur son lit, les yeux rivés sur l'écran, la bouche ouverte. Soudain, elle avait eu envie de tout annuler. Mais c'était impossible. C'était fait. Pas de retour en arrière possible. Le document était là, sous les yeux du monde entier...

La porte de sa chambre s'était alors ouverte d'un coup, la faisant sursauter. Là, sur le seuil, essoufflé et rouge, se tenait son père. La veste ouverte, sa cravate à rayures bleu marine et blanches de travers, les cheveux pendant sur le front au lieu d'être lissés en arrière. On aurait dit qu'il avait couru de son bureau. Jamais elle ne l'avait vu si bouleversé. Il savait.

– Prends tes affaires, avait-il soufflé, pantelant. On part. Tu as dix minutes.

– Mais où... Où on va ? avait bredouillé Carina.

Elle était presque trop choquée pour parler.

– Dix minutes, avait-il répété avant de partir comme une tornade, laissant sa porte grande ouverte et disparaissant dans le couloir.

Carina avait saisi son iPhone. Il fallait absolument qu'elle envoie un SMS à Lizzie et à Hudson. D'un doigt tremblant, elle avait tapé :

Oh mon Dieu ! Venez chez moi TOUT DE SUITE !

Mais elle savait déjà que c'était inutile. Jamais ses amies n'arriveraient à temps. Quand le Jurg disait « dix minutes », cela voulait dire « huit ».

Elle avait attrapé un sac de sport de sous son lit tout en réfléchissant frénétiquement. Comment savait-il que c'était elle ? Et où iraient-ils ? Dans leur appartement parisien ? Était-il mortifié au point de devoir quitter le pays ? Comptait-il l'expédier à Hawaï chez sa mère ? À une époque, elle aurait bien voulu vivre avec cette dernière, mais cela lui avait passé. L'île de Maui se trouvait à douze heures d'avion, à quatre fuseaux horaires de là. Elle n'aurait jamais revu ses copines.

– Carina ? avait crié son père d'en bas. On y va !

Elle avait jeté dans le sac ce qui lui était tombé sous la main : quelques culottes Stella McCartney, ses Puma en daim violettes, son vieux jean slim Cheap Monday, son Mac-Book. Au dernier moment, elle avait pris la balle antistress sur son bureau. Quelque chose lui disait qu'elle en aurait besoin.

Elle avait dévalé les trois volées d'escalier, puis enfilé d'un pas rapide le couloir moquetté de beige pour rejoindre la porte. La collection de peinture de son père s'étalait sur les murs, et Carina avait adressé un adieu muet aux tableaux : *Au revoir, Jasper Johns. Salut, Jackson Pollock.* Les domestiques se tenaient à côté de la célèbre boîte de soupe d'Andy Warhol, regroupés comme chaque fois qu'ils souhaitaient bon voyage à leurs patrons, sauf que, cette fois, ils la regardaient comme si elle ne devait jamais revenir. Maïa, la petite femme de chambre aux yeux tristes, lui avait lancé un sourire larmoyant. Nikita, dans son tablier de cuisinier, lui avait glissé dans la main un sac de cookies aux pépites de chocolat tout chauds. Marco s'était contenté d'un petit hochement de menton très professionnel. Même Otto, le vigile si sérieux, s'était forcé à lui sourire bravement.

– Bonne chance, jeune fille, lui avait-il glissé lorsqu'elle était passée devant lui, comme si elle montait au combat.

Juste avant d'atteindre la porte, elle avait jeté un dernier regard au Basquiat de son père. Le tableau était tout simple – une couronne noire sur un océan de peinture blanche –, mais il lui avait toujours parlé, sans qu'elle en comprenne précisément le sens. Pour ce qu'elle en savait, elle ne le reverrait peut-être plus jamais. Une larme avait brouillé sa vision et elle avait brièvement fermé les yeux pour la chasser.

– Carina, dépêche-toi ! avait tonné son père.

En sortant, elle les avait vus qui l'attendaient dans l'ascenseur : son père en loden Burberry, qui la regardait sans la voir, glacial, et à côté de lui, portant sa housse à vêtements et une petite valise comme si c'était son seul but dans la vie, le Larbin Rampant, Ed Bracken. C'était difficile à croire, mais les quelques cheveux rabattus sur son crâne semblaient encore plus gras et clairsemés que d'habitude.

– Bonjour, Carina, avait-il fait en la gratifiant de son rictus narquois.

Et là, elle avait compris. Ed l'avait dénoncée à son père. Il avait découvert, allez savoir comment, qu'elle avait fait une copie du mémo et l'avait balancée sur le Net. Il ne lui avait dit qu'un simple bonjour, et pourtant c'était désormais une certitude. Dans l'ascenseur, elle s'était juré que, quoi qu'il lui arrive, elle le ferait payer.

Dans la rue, Max et la Mercedes noire les attendaient déjà. Ed avait tendu à Max les bagages de son père, puis débarrassé Carina de son sac de sport.

– Il y a toute la place là-dedans, avait-il dit, goguenard, en le rangeant dans le coffre.

Carina était montée à côté de son père et avait regardé Ed lui faire un salut quasiment militaire tandis qu'ils démarraient. *Beurk*, avait-elle songé. Bien sûr que c'était lui.

À présent, Carina regardait dehors. La Mercedes tourna à gauche sur la 9e Avenue et s'engouffra dans le Lincoln Tunnel. Ses battements de cœur redoublèrent. Plus de doute possible : ils partaient de New York.

– Pour ta gouverne, sache que je n'ai pas détourné cet argent, dit son père si soudainement qu'elle en sursauta sur la banquette. Je l'ai placé dans une fondation. Sais-tu ce qu'est une fondation ?

Elle tourna la tête vers lui. Il avait rangé son BlackBerry et contemplait fixement le carrelage blanc qui défilait dans le tunnel.

– Plus ou moins...

– Je l'ai fait pour des raisons fiscales, poursuivit-il lente-

26

ment. Le million restant sera reversé à l'organisation, mais *via* la fondation. Si tu m'avais posé la question, je te l'aurais dit. Au lieu de quoi tu as tiré tes conclusions toute seule, n'importe comment.

Il se tourna vers elle et, dans la pénombre, ses yeux lui lancèrent des éclairs.

– Comment as-tu pu me croire capable d'une chose pareille ?

Facile, eut-elle envie de répondre. Au lieu de quoi elle avala sa salive et détourna les yeux.

– Bien, tout sera très vite oublié, reprit vivement le Jurg en regardant à nouveau dehors. J'ai préparé un communiqué expliquant que tout serait reversé aux bonnes œuvres, jusqu'au dernier centime. Demain, tous les journaux qui m'appartiennent, ainsi que les autres, le publieront. Dès après-demain, plus personne ne pensera à l'affaire. Dix autres nouvelles plus importantes la remplaceront. Mais cela ne nous dit pas ce que je vais faire de toi.

Carina sentit une nouvelle boule se former dans sa gorge. La boule remonta vers ses yeux et faillit la faire pleurer. Elle pressa sa balle antistress.

– Tu as toujours eu quelque chose d'indomptable en toi, depuis ton plus jeune âge, continua le Jurg en pianotant du bout des doigts sur la portière. Tu tiens ça de ta mère. Et j'ai eu la bêtise de croire que cela te passerait. (Il secoua la tête avec un petit rire penaud.) Au contraire, cela n'a fait qu'empirer.

Au sortir du tunnel, ils plongèrent dans la nuit ouverte du New Jersey. De la bretelle de l'autoroute, Carina aperçut les gratte-ciel de Manhattan, à l'ouest, au-delà de l'Hudson.

Ils étaient déjà si lointains qu'on aurait dit une toile peinte.

– Où est-ce que tu m'envoies ? demanda-t-elle.

– En Californie. Il y a un internat à quelques heures au nord de Los Angeles, près de Big Sur.

Carina resta coite. La Californie ! C'était presque aussi loin qu'Hawaï.

– C'est une école militaire, quelque chose dans le genre ?

– Pas tout à fait, mais pas loin.

– Et pourquoi est-ce que tu m'accompagnes ?

– Pour m'assurer que tu y ailles vraiment. Je ne te fais pas confiance pour le faire toute seule. J'aimerais, mais je ne peux pas.

La voiture sortit de l'autoroute pour s'engager sur une route à deux voies, puis enfin dans une allée de graviers, et passa devant le panneau AÉROGARE DE TETERBORO. Un portail s'ouvrit devant eux comme par magie. Ils étaient à l'aéroport. Là, sur le tarmac, sous la lumière crue des néons, le jet Gulfstream de son père attendait, sa petite porte ouverte. Il l'attendait pour l'expédier à l'autre bout du pays.

– Mais quand vais-je revenir ? demanda-t-elle en s'efforçant de parler calmement. Quand vais-je revenir à New York ?

– En juin.

– Et Noël, alors ? insista-t-elle, de plus en plus désespérée. Je rentrerai à la maison ?

– Tu passeras les fêtes avec ta mère. À Hawaï.

La voiture s'arrêta à quelques pas de l'appareil. Carina entendit le coffre s'ouvrir. Son cœur battait à toute vitesse.

Il fallait qu'elle mette la main sur son téléphone. Il fallait que Lizzie et Hudson sachent ce qui lui arrivait avant qu'elle soit dans l'avion.

Quelqu'un ouvrit la portière à sa droite, laissant entrer l'air glacial dans la voiture. Le rugissement des moteurs du jet était assourdissant.

– Bonjour, miss Jurgensen, lui cria le responsable de l'aéroport. Bienvenue à Teterboro.

Sans l'écouter, elle bondit vers le coffre de la voiture. Un employé équipé de cache-oreilles orange vif en sortait déjà son sac.

– Je le prends ! s'écria-t-elle en le lui arrachant des mains.

Elle savait qu'il pensait : *Sale gosse pourrie gâtée*, mais sur le moment, là, elle s'en fichait éperdument.

Son père se dirigeait déjà vers l'avion, le responsable de l'aéroport trottant sur ses talons en portant ses affaires. Il n'y avait pas une seconde à perdre. Elle s'accroupit, dézippa son sac et chercha son iPhone à tâtons, fébrilement. Enfin, elle toucha sa surface froide et lisse sous ses vêtements. Elle fit glisser son doigt sur l'écran, ouvrit sa boîte mail et tapa le plus vite possible :

SOS ! Le Jurg m'envoie en CALIF !

– Carina ! cria son père du pied de la passerelle. En route !

Elle jeta son téléphone dans son sac, qu'elle referma d'un coup sec. Puis elle courut vers l'avion, la racine des cheveux humide de sueur, le cœur battant si fort qu'elle craignit qu'il n'explose. Dorénavant, elle ne devrait plus compter que sur elle-même. Ses amies ne pourraient pas la sauver. Son ancienne vie n'était plus. Mais quoi qu'il arrive, elle se refusait à pleurer. Jamais elle ne verserait une larme devant son père. Jamais.

Chapitre 2

– Heureux de vous revoir au *Four Seasons* de Los Angeles, monsieur, dit l'employé blond et bronzé en se raclant la gorge et en glissant la carte magnétique dans la fente pour envoyer l'ascenseur au dernier étage. Vous avez fait bon voyage ?

– Très bon, merci, répondit le Jurg en regardant ses chaussures.

– Content de l'entendre, monsieur, répliqua l'employé, raide et droit, les mains dans le dos. Je sais que vous avez déjà séjourné chez nous, mais puis-je vous rappeler que notre sévice, euh... je veux dire : notre service en chambre est disponible vingt-quatre heures sur vingt-quatre ?

Du calme, eut envie de lui dire Carina du coin de l'ascenseur où elle se tenait avachie, son sac passé à l'épaule. Elle avait si souvent assisté à ce genre de scènes ! Les sourires nerveux, la politesse empruntée, les informations superflues... Son père faisait toujours cet effet bizarre aux gens. Les serveurs oubliaient le plat du jour, les grouillots laissaient tomber les couverts, les femmes se penchaient automatiquement en avant pour exhiber leur décolleté. Carina

31

appelait cela « l'effet tiroir-caisse ». Rien n'avait d'effet plus puissant – ni plus gênant – qu'un milliardaire.

– Nous y voilà, annonça l'employé d'une voix trop forte lorsque l'ascenseur s'arrêta.

Ils prirent pied sur une moquette épaisse, empruntèrent un long couloir et finirent par atteindre la double porte qui se trouvait au bout. Une plaque dorée indiquait : SUITE PRÉSI-DENTIELLE.

– Comme vous pourrez le constater, nous avons suivi vos conseils en ce qui concerne l'écran plat, monsieur Jurgensen, dit l'employé avec ardeur. Nous l'avons accroché au mur en évitant le reflet de la fenêtre.

Il leur tint les portes ouvertes pour les laisser pénétrer dans une entrée en marbre noir. Au-delà, Carina aperçut un salon haut de plafond, digne d'un palais. Il y avait un petit piano à queue près de la porte-fenêtre. Sur la table basse design en verre était bien sûr posé un spectaculaire bouquet de roses blanches et, à côté, une corbeille de cadeaux certainement bourrée de chocolats de luxe et de rares fromages français.

– Connaissez-vous notre collection de whiskys, monsieur ? s'enquit l'employé. Nous avons des malts de dix ans d'âge...

Carina s'empressa de sortir de la pièce pour ne pas entendre son boniment. Elle avait besoin d'être seule.

Passant devant la salle à manger et la cuisine, elle se retrouva dans une chambre spacieuse, beige clair, avec un grand lit à baldaquin. Elle laissa tomber son sac par terre, se vautra sur le lit et bâilla dans la courtepointe en soie. Elle était absolument épuisée. Ils avaient passé l'intégralité des six heures de vol à se bouder mutuellement, sans échanger un mot. Et pourtant, ignorer quelqu'un à bord d'un Gulfstream n'est pas chose facile. Le Jurg était resté assis à l'avant, plongé dans *The Economist*, tandis qu'elle était allongée sur une banquette à l'arrière, regardant d'un œil distrait l'écran d'infos sur le déroulement du vol. À chaque État traversé, sa gorge se resserrait un peu. Même Marsha, l'hôtesse de l'air toujours joviale, avait perçu son anxiété.

– Tout va bien ? lui avait-elle demandé en posant devant elle un Coca light et des artichauts grillés comme elle les aimait.

– Super ! avait dit Carina en arrachant une feuille d'artichaut avec un sourire forcé.

Elle se réjouissait d'être enfin seule. Sautant de son lit, elle rejoignit la salle de bains en marbre. Mais en allumant la lumière, elle faillit ne pas se reconnaître dans la glace. Elle avait détaché et rattaché sa queue-de-cheval tant de fois que ses cheveux blonds et mi-longs paraissaient gras, foncés, et que des mèches lui pendaient dans la figure. Ses yeux noisette étaient rougis, et en dessous, on voyait des cernes violacés. Son teint habituellement hâlé, semé de taches de rousseur, était cireux. On aurait dit une prisonnière de guerre, et ce n'était que le début. Pendant les huit mois à venir, elle allait être captive d'une sorte de bagne militaire sur la côte. Bien sûr, ses amies avaient raison. Publier ce mémo avait été une énorme bêtise.

Mais peut-être y avait-il aussi du bon, pensa-t-elle en se passant de l'eau froide sur le visage. Elle était malheureuse avec son père. Pas de manière consciente, mais sourdement, insidieusement. Il ne se souciait pas d'elle... Il ne la connaissait même pas ! Et elle avait compris depuis longtemps que s'il avait voulu sa garde, c'était pour une seule raison : l'enlever à sa mère. Donc, ce n'était peut-être pas si mal qu'il se débarrasse d'elle. Mais comment se faire à l'idée de ne plus revoir Lizzie et Hudson ?

Sortant de la salle de bains, elle reprit son sac. Il était grand temps qu'elle écoute sa messagerie. Elle s'agenouilla par terre et sortit son iPhone. Elle avait dix messages vocaux.

« C. ? On est en bas de chez toi, dans le hall. Le portier dit que tu viens de partir. On ne sait pas ce qui se passe. Appelle ! »

Lizzie semblait presque lui en vouloir, et pourtant Carina éprouva une bouffée de tristesse à l'entendre.

« Carina ? Carina ? T'es où, bon sang ? On sait ce qui s'est passé. On sait que tu as envoyé ce truc au *Smoking Gun*. Oh là là, C., pourquoi tu as fait ça ? Tu ne pouvais pas faire autrement ? Oh, C., où es-tu ? »

Hudson avait quasiment la voix d'une mère exaspérée, terrifiée, mais elle manquait tellement à Carina que celle-ci sentit les larmes lui monter aux yeux.

Ensuite, elle passa aux SMS.

T OÙ ?

ON T'M, C ! <3

ÇA VA ?

34

Le dernier émanait de Lizzie. Envoyé à vingt-deux heures (heure de New York) :

Tiens bon. Ça devrait s'arranger. On te tient au courant.

Ce message-là laissa Carina incrédule. Cela ne ressemblait pas à Lizzie d'être si optimiste. Et comment voulait-elle que ça s'arrange, au juste ?

Pour le moment, c'était le milieu de la nuit à New York. Elle ne pouvait donc pas les rappeler. Elle eut une pensée pour sa mère à Hawaï. Il n'était que dix heures, là-bas.

Elle composa son numéro et écouta la sonnerie retentir une fois, deux fois, trois fois. Elle finit par tomber sur un répondeur.

« Salut, c'est Mimi ! Laissez-moi un message... d'amour ! *BIIIP !* »

D'un glissement de ses doigts, Carina raccrocha. Elle aurait pu laisser un message, mais elle ne savait absolument pas quand ni même si sa mère la rappellerait. Mimi n'était pas très fiable dans ce domaine. Juste après le divorce de ses parents, Carina et elle étaient constamment restées en contact : elles se donnaient des rendez-vous téléphoniques entre New York et Maui, et bavardaient par messagerie instantanée la nuit. Mais depuis environ deux ans, leurs conversations s'étaient peu à peu réduites à un appel par semaine et un texto de temps en temps. Carina soupçonnait son père de ne pas être étranger à tout cela. Au moment de la rupture, il ne voulait même pas qu'elles se parlent.

Carina bâilla de nouveau. Elle sentait ses paupières se

fermer toutes seules. Elle écrirait à ses amies le lendemain matin et réessaierait de joindre sa mère plus tard dans la journée. Pour le moment, tout ce qu'elle voulait, c'était dormir.

Elle se mit au lit sans même prendre la peine de se déshabiller. Elle remonta les draps épais et doux sur elle, inhalant leur délicat parfum d'hôtel, et se sentit un tout petit peu réconfortée. Elle avait commis un acte terrible, mais il y avait une chose dont elle était fière.

Au moins, il ne m'a pas vue pleurer, pensa-t-elle juste avant de sombrer dans le sommeil.

– Carina ?

Elle entrouvrit les paupières. Bien qu'elle ait oublié de fermer les rideaux avant de dormir, il faisait encore noir dans la chambre.

– La voiture sera là dans un quart d'heure. Lève-toi.

Tout d'abord, c'est à peine si elle put distinguer la haute et svelte silhouette de son père à la porte. Mais ses yeux s'accoutumèrent à l'obscurité, et elle vit alors qu'il était déjà habillé, en costume, le journal à la main.

– Un quart d'heure, répéta-t-il. Ne traîne pas.

Après son départ, Carina se redressa sur ses coudes. Sa tête lui faisait l'effet d'une boule de bowling remplie de béton. Sur la table de nuit, le réveil indiquait six heures du matin. Décidément, elle pouvait compter sur le Jurg pour la torturer sans relâche.

Elle se traîna jusqu'à la salle de bains, où elle se doucha et se brossa les dents en profitant de la brosse et du dentifrice offerts par l'hôtel. Puis elle trouva dans son sac un jean slim et un tee-shirt. Elle s'habilla et prit son téléphone. Elle avait déjà deux messages de plus de ses amies, envoyés pendant son sommeil.

T OÙ ?

ENCORE EN VIE ?

Elle jeta un coup d'œil à sa montre. Il était presque neuf heures trente à New York. Lizzie devait être en cours d'anglais et Hudson en espagnol. Il était temps de les mettre au courant de la situation.

Mais comment leur expliquer tout cela par texto ? Il fallait qu'elle les appelle. Par laquelle commencer ? Lizzie ou Hudson ?

– Carina ! cria son père de la salle à manger. Le petit déjeuner !

Elle jeta son iPhone dans son sac et alla le rejoindre. Aussi longtemps qu'elle ne les aurait pas mises au courant, elle pourrait se raconter que ce n'était pas en train d'arriver.

Assis au bout de la longue table d'acajou, le Jurg était plongé dans la lecture du *Wall Street Journal*.

– Mange, dit-il en montrant du menton le fabuleux assortiment d'œufs, bacon, fruits, croissants et jus d'orange qu'il avait commandé.

Visiblement, il ignorait qu'elle ne prenait que des céréales au petit déjeuner.

– La voiture arrive dans quelques minutes. Et la route est longue.

Il fit claquer son journal et se remit à lire comme si elle n'était pas là.

Carina regarda par la porte-fenêtre qui donnait sur un balcon. Le ciel commençait à tourner au bleu indigo, et les avenues de Beverly Hills, bordées de hauts palmiers, étaient désertes. La journée promettait d'être longue, et elle n'avait même pas encore commencé. Soudain, l'idée d'être coincée dans une berline avec son père pendant des heures lui parut insoutenable.

– Tu n'es pas obligé de m'accompagner, dit-elle. (C'était la première fois qu'elle lui parlait depuis leur départ.) Je peux y aller seule, pas la peine d'en faire une montagne.

– L'avion vient me chercher à Monterey, répondit-il en tournant une page.

– Papa.

Carina s'approcha d'une chaise et se tint fermement au haut dossier raide. Depuis la veille au soir, elle réfléchissait à ce qu'elle allait lui dire. Il fallait qu'elle soit prudente. Elle était si fatiguée qu'elle était capable de sortir n'importe quoi.

– Je suis désolée, sincèrement. Je voulais juste que tu le saches.

Il ne leva pas la tête de son journal.

– C'est un peu tard pour ça.

– Mais je m'excuse ! insista-t-elle.

Le Jurg replia bruyamment son journal et focalisa son regard désapprobateur sur elle.

– Je ne comprends pas, Carina. Je pense pourtant avoir été un père acceptable. Et même un bon père. Déjà, je ne t'ai jamais rien refusé. Je te donne tout ce que tu veux. Et c'est ainsi que tu me remercies ?

– Papa...

Il jeta son journal sur son assiette vide.

– Est-ce que je ne te paie pas le meilleur lycée de New York ? Est-ce que je ne règle pas tes factures de carte bancaire ? Est-ce que je ne t'envoie pas crapahuter sur toutes les montagnes possibles et imaginables ?

– Si, mais...

Elle réfléchissait à toute vitesse pour trouver un argument.

– Ce n'est que ça, pour toi, être père ? *Payer* des choses ?

Aussitôt qu'elle eut prononcé ces mots, elle sut que c'était une erreur. Le Jurg ne cilla pas, mais son sourcil droit tressaillit, comme chaque fois qu'il était sur le point de se mettre très en colère.

Toc toc !

Ils tournèrent la tête exactement en même temps. On frappa de nouveau.

– J'y vais, dit-elle, ravie de cette occasion de s'éclipser.

C'était sans doute encore un employé zélé, venu voir s'ils avaient terminé leur petit déjeuner.

Elle courut vers l'entrée et ouvrit d'un coup la lourde porte. Au lieu d'un employé de l'hôtel, elle découvrit une petite femme mince vêtue d'un tailleur noir, avec un rouge à lèvres fuchsia et des cheveux noirs et frisés. De la main droite, elle tenait un attaché-case luisant en cuir caramel à ferrures patinées : le genre de valise qui contient une bombe ou des documents top secret dans les films.

– Je suis Erica Straker, annonça directement la femme en lui tendant la main. Carina, c'est bien ça ?

Celle-ci lui serra mollement la main. Elle n'avait pas l'habitude que des adultes la reconnaissent.

39

– Euh... oui.

– Je fais partie du cabinet d'avocats Cantwell & Schrum, l'antenne locale de Century City. Votre père est là ?

– Que puis-je faire pour vous ? s'enquit le Jurg, qui s'était approché derrière Carina.

– Erica Straker. Nous nous sommes déjà vus, dit la femme non sans brusquerie. (Cette fois, elle ne tendit pas la main.) Je représente votre ex-épouse.

Le Jurg ne fit pas un geste et, sans attendre d'y être invitée, Erica Straker entra.

– De quoi s'agit-il, madame Straker ? demanda le Jurg, qui avait visiblement du mal à rester poli.

– Ma cliente a été avertie de votre projet d'envoyer Carina en pension, dit la femme d'un ton factuel en posant son attaché-case sur une console de verre à côté de la porte. Or, l'accord que vous avez passé avec elle vous interdit de modifier le domicile de votre fille sans son autorisation.

Ouvrant son porte-documents, elle en sortit une épaisse liasse de papiers agrafés qui semblait contenir des centaines de pages. Elle la souleva et la tendit au Jurg.

– Vous aviez sans doute oublié cette clause ? ajouta-t-elle en inclinant la tête, comme si elle ne connaissait pas déjà la réponse.

Le Jurg lui arracha la liasse des mains.

– La décision a été très soudaine, marmonna-t-il. Et comme vous devez le savoir, mon ex-femme n'est pas franchement facile à joindre.

Mme Straker sourit, découvrant des dents tachées de café.

– Ma cliente comprend bien que vous ayez pu oublier les termes de l'accord, c'est pourquoi elle a tenu à ce que je vienne vous les rappeler. Elle souhaite évidemment que Carina reste à New York. Et si jamais vous choisissiez de passer outre, il lui serait facile d'engager une action contre vous pour réclamer la garde de votre fille. Elle sait parfaitement que vous détesteriez cela.

Carina baissa le nez vers le tapis d'Orient jaune et écarlate, consciente que les yeux lui sortaient de la tête. *Lizzie*, pensa-t-elle. Voilà pourquoi son amie lui avait écrit que tout allait s'arranger. Lizzie et Hudson avaient prévenu sa mère. Elles l'avaient sauvée.

Le Jurg se racla la gorge.

– Bien, d'accord. Dites à votre cliente que sa réaction m'impressionne par sa rapidité. Je ne pensais pas qu'elle trouverait le temps, entre ses cours de yoga, ses séances de méditation et tout le tralala.

Avec l'air supérieur de ceux qui savent qu'ils ont vaincu l'adversaire – et à plate couture, encore –, Erica referma son attaché-case et le souleva de la table.

– Bon retour sur la côte est, monsieur Jurgensen. Et toi, Carina, prends soin de toi, conclut-elle avec un clin d'œil.

Sur quoi, elle sortit.

Dès que la porte fut refermée, le Jurg jeta le document à la poubelle.

– Je suppose que tu n'as rien à voir là-dedans, dit-il.

Ses joues avaient pris une teinte rouge brique. Karl Jurgensen n'avait pas l'habitude de se faire rembarrer, surtout devant sa fille.

– Rien du tout. Je ne l'ai même pas appelée...

– Ne t'imagine pas une minute que je vais oublier ça, la coupa-t-il. Prends tes affaires. Nous partons.

– Dix minutes ? persifla Carina.

C'était plus fort qu'elle.

Le Jurg fit volte-face pour la fusiller des yeux.

– *Tout de suite*, dit-il.

Carina fonça dans sa chambre et empoigna son iPhone. À présent, elle savait précisément quoi dire à ses amies.

J'ARRIVE ! tapa-t-elle tandis que le soleil californien illuminait lentement le ciel.

Chapitre 3

– Vous pouvez vous garer là ! cria Carina depuis la banquette arrière. Merci, Max !

Le chauffeur rangea consciencieusement la Range Rover noire le long du trottoir pendant que la jeune fille débouclait sa ceinture de sécurité. Un peu plus loin dans la rue, elle vit Lizzie et Hudson entrer au lycée Chadwick. Elle était revenue de Californie trop tard la veille au soir pour les appeler, et elle avait follement hâte de les retrouver.

– Je vous en prie, laissez tomber ! dit-elle à Max, qui s'apprêtait à descendre de voiture. Mon père peut vous obliger à me conduire au lycée, mais il ne peut quand même pas vous forcer à m'ouvrir les portes.

– Bonne journée, mademoiselle C., lui dit Max en lui souriant dans le rétroviseur. Ravi que vous soyez de retour.

– Et moi donc !

Elle claqua la portière, partit en courant à fond de train, traversa les portes et se jeta au cou de ses amies dans le hall, manquant les faire tomber à la renverse.

– Salut les filles ! lança-t-elle.

– Oh mon Dieu, salut, toi !!! s'écria Lizzie en la serrant si fort qu'elle lui coupa la respiration.

Avec son mètre quatre-vingts ou presque, ses immenses yeux noisette, ses lèvres pulpeuses et ses boucles rousses, Lizzie était la fille la plus renversante que Carina ait jamais vue. Mais à cause de son physique atypique, elle avait toujours été un peu mal dans sa peau, d'autant plus que sa mère n'était autre que Katia Summers, l'ultracélèbre top model. Au cours des deux derniers mois, Lizzie avait été « découverte » – d'abord par une photographe, puis par tout le monde de la mode – et proclamée « nouveau visage de la beauté ». Cela n'avait pas étonné Carina une seconde. Chaque fois que Lizzie entrait dans une pièce, on la remarquait... et Carina l'enviait souvent de produire cet effet.

– Youpi ! Tu t'en es sortie ! clama Hudson, des étincelles dans ses yeux vert océan, en la prenant à son tour dans ses bras.

Hudson était un tout petit peu plus grande qu'elle, mais plus menue et plus délicate, avec des cheveux noirs ondulant jusqu'à ses épaules et un teint impeccable couleur de pain grillé. La plupart du temps, Carina se sentait mal fagotée rien qu'à se tenir à côté d'elle, qui était toujours vêtue à la pointe de la mode, se fournissant soit dans les boutiques les plus pointues de TriBeCa, soit dans les friperies vintage les plus cool de l'East Village. Elle avait un look bohème : beaucoup de tuniques flottantes en tissu métallisé, des colliers futuristes, d'énormes boucles d'oreilles créoles et de grandes capelines. Carina aussi adorait les accessoires, mais elle s'en tenait généralement à des boucles et des bracelets en argent ou en or. Le talent de

Hudson pour mélanger les perles, l'or et le métal vieilli la dépassait totalement.

– Oh là là, vous m'avez *sauvé la vie*, lança Carina. Vous auriez dû voir la tête de mon père quand cette avocate s'est pointée ! C'était la première fois de sa vie qu'il entendait le mot *non* ! J'ai presque été tentée de l'enregistrer sur mon iPhone.

– C'est Hudson qui a eu l'idée, lui apprit fièrement Lizzie en montant les marches quatre à quatre sur ses jambes interminables. Elle s'est rappelé la fois où on parlait des internats, et où tu as dit que tu ne pourrais y aller qu'avec l'autorisation de ta mère.

– Mais c'est Lizzie qui l'a appelée, précisa Hudson en retirant ses gants. Elle lui a parlé pendant au moins une heure.

– C'est vrai ? s'étonna Carina. Mais comment tu as réussi à la joindre ?

– Je ne sais pas, elle a décroché, répondit Lizzie en haussant les épaules. Et tiens-toi bien : elle m'avait vue en photo dans le magazine *Rayon*. Elle avait suivi toute mon aventure dans le mannequinat. Je n'en revenais pas. J'avais oublié à quel point elle était cool.

– Ouais, lâcha Carina avec mélancolie.

C'était vrai que Mimi Jurgensen était cool. Bien plus que l'homme qu'elle avait épousé. Carina n'avait jamais bien compris comment ses parents s'étaient retrouvés ensemble. Le Jurg était un bourreau de travail, toujours tendu, qui ne se souciait que de gagner de l'argent, alors que sa mère était une sorte de hippie diplômée et large d'esprit, qui se fichait comme de sa première chaussette des clubs de la haute société et des Jaguar anciennes.

– Alors... elle s'est fâchée très fort quand tu lui as raconté ce qui se passait ? demanda Carina.

– Oh ça, tu peux le dire, dit Lizzie. À fond. Tu l'as trouvée comment quand tu lui as parlé ?

– Je ne lui ai pas parlé, enfin pas encore, répondit Carina, un peu gênée.

En descendant de l'avion, à New York, elle pensait trouver un message de sa mère sur son téléphone, mais il n'y avait qu'un texto :

Contente que tout soit arrangé. Tu me manques ! Bisous, Maman.

Sa mère tenait une salle de yoga à Maui. Apparemment, les gens ne faisaient que ça, là-bas. Du yoga et du surf.

– Et comment ça se passe avec ton père, maintenant ? s'enquit Hudson en dénouant son écharpe en cachemire. Il est encore furax ?

– Aucune idée. On a réussi à ne pas se dire un mot depuis la visite de l'avocate. Ce qui me va très bien, d'ailleurs.

Lizzie poussa une porte battante et les trois filles se mêlèrent à un flot d'élèves dans le couloir.

– Il a fait retirer l'article du site web et publié un communiqué pour expliquer que c'était de la calomnie, ajouta Carina tout en souriant pour saluer des camarades. Je crois que tout est terminé, Dieu merci.

– Tu es sûre ? insista Hudson, clairement sceptique.

– Bon, il m'a bien dit qu'il n'était pas près d'oublier ça, ou quelque chose dans le genre, mais je me suis excusée. Et puis, je n'ai jamais vraiment dit qu'il avait volé l'argent.

46

Lizzie et Hudson lui lancèrent toutes les deux un regard sombre.

– Quoi, qu'est-ce qu'il y a ?

– En gros, tu l'as publiquement traité d'escroc, pointa Lizzie. C'est de la diffamation. C'est passible de prison.

– Mais il n'a rien fait, finalement. Et puis, vous oubliez ce qu'il m'a fait, à moi ? s'énerva Carina. Si je n'avais pas réagi tout de suite, dans deux ans j'étais bonne pour bosser à plein temps pour lui. Je n'aurais sans doute même pas fait mes études !

Carina attacha ses cheveux blonds en queue-de-cheval, un geste qui l'apaisait toujours.

– Écoutez, s'il me réserve une punition horrible, très bien. Je sais que j'ai fait une bêtise. Mais il fallait que je fasse quelque chose. Et je croyais sincèrement qu'il agissait mal.

– J'aimerais bien savoir comment il t'a grillée, dit Hudson. Est-ce que tu l'as su ?

– Oh, ça, c'est le meilleur de tout : le Larbin Rampant.

– Nooon, pas possible ! s'écria Hudson.

– Tu es sûre ? demanda Lizzie.

– Certaine. Il était dans l'appartement quand c'est arrivé. Et il a eu l'air tout content de lui quand papa m'a crié dessus. Mais ne vous en faites pas. Je me vengerai. J'ai un plan.

– Oh non, assez de vengeance ! soupira Lizzie.

– Si, vous allez voir, c'est génial. (Carina arracha une page dans son cahier.) Regardez-moi ça.

Elle tendit la feuille à ses amies.

– « Si je ne te tiens plus jamais dans mes bras », lut Lizzie… « Si je ne sens plus jamais tes tendres baisers, si je n'entends plus tes "je t'aime" de temps en temps… »

Lizzie se tut et leva les yeux, l'air perplexe.

– Ce n'est pas une chanson, ça ?

– Si ! Regarde en bas.

Lizzie et Hudson se penchèrent toutes les deux sur la feuille pour lire les mots tracés en lettres énormes au bas de la page.

JE TE VEUX

– Je ne pige pas, dit Hudson.

– Je vais lui faire croire qu'il a une admiratrice secrète ! triompha Carina.

– C'est ça que tu appelles te venger ?

– Non mais attends ! C'est le mec le plus triste, le plus laid, le plus antisexy du monde, et je suis sûre qu'aucune fille n'a jamais été amoureuse de lui, *jamais* ! (Carina rangea la lettre dans son sac.) Quand il comprendra que c'est une blague, il sera totalement humilié. Ça lui apprendra !

– Eh bien, bonne chance, conclut Lizzie en lui donnant une tape sur l'épaule.

Elles étaient sur le point d'entrer en classe lorsque Carina perçut un cliquetis de talons immédiatement reconnaissable derrière elle. Elle sut instantanément de qui il s'agissait.

– Oh non, souffla Lizzie tout bas. Vingt-deux, la voilà !

– Pitié, pas ça ! chuchota Hudson.

– Salut les filles ! fit une voix bien connue.

Elles se retournèrent d'un seul geste.

Ava Elting marchait droit sur elles, à petits pas déterminés, armée d'un sourire fraîchement blanchi et du plus énorme sac en cuir patiné que Carina ait jamais vu.

48

– Attendez-moi ! leur lança-t-elle en agitant une main parfaitement manucurée. J'ai besoin de vous !

– *Besoin* de nous ? répéta Carina en coin.

– Manquait plus que ça, ronchonna Hudson.

Cinq jours après sa tonitruante rupture avec Todd Piémont, la reine de l'élite sociale de Chadwick était plus impeccable que jamais. Ses boucles auburn étaient retenues par la barrette en strass habituelle, et le « A » en diamants qu'elle portait au cou étincelait dans son décolleté. Son cardigan – car Ava ne portait jamais de cols roulés, même en plein mois de novembre – était déboutonné juste assez bas pour laisser apercevoir le bord d'un caraco en dentelle sur son faux bronzage. Rien ne permettait de deviner que quelques jours plus tôt, elle était en larmes, effondrée, parce que Todd Piémont s'était soudain réveillé et l'avait plaquée. À la suite de quoi Ava, pour ne pas perdre la face, avait répandu une rumeur ridicule selon laquelle il l'aurait trompée. *Il n'y a qu'Ava Elting pour faire ça*, pensa Carina, *et se pointer ensuite en cours comme si de rien n'était.*

– Dites, les filles, poursuivit Ava d'un ton exagérément amical, je voulais juste vous demander un petit quelque chose.

– Vas-y, marmonna Carina.

Lizzie, qui était à présent avec Todd, gardait un silence respectueux tandis que Hudson ne disait rien, par timidité, comme souvent.

– Bon, je vous ai dit que je présidais le gala du Flocon de neige cette année ? C'est troooop cool. Tous les bénéfices iront à une organisation fantastique : la Fondation Beauté pour New York.

– La quoi ? demanda Carina.

– C'est une organisation qui offre de la chirurgie esthétique aux personnes défavorisées. Et le bal est bien parti pour être carrément dément. Tellement dément qu'il pourrait bien être mentionné dans le *New York Times*.

– Non, vraiment ?

Lizzie essayait de ne pas rire.

– Dans le supplément magazine du dimanche, évidemment, précisa Ava en fronçant le nez. Vous savez, la page où ils racontent toutes les grandes réceptions de la semaine ? C'est ce que je vise.

– Ah, bon, dit Carina.

C'est beau d'avoir de l'ambition, pensait-elle, narquoise.

– Et donc, poursuivit Ava en décochant à Lizzie et à Hudson un nouveau sourire aveuglant de blancheur, il me semble que je vous ai déjà demandé, il y a quelques semaines, si vos mères pourraient offrir quelque chose. Pour la tombola, vous vous souvenez ?

Lizzie et Hudson examinaient le parquet avec une attention soutenue.

– Je pensais à des billets pour un concert de ta mère ? dit Ava à Hudson. Ou un dîner avec elle, après ?

Carina faillit éclater de rire. Holla Jones, la pop star qui était la mère de Hudson, aurait préféré mourir que dîner avec des inconnus.

– Et toi, Lizzie, ta mère doit bien avoir une robe Alaïa vintage à tomber par terre. Ou alors, elle pourrait offrir des articles de lingerie de sa collection.

Lizzie devint encore plus pâle que d'habitude et se cacha derrière ses épaisses boucles rousses. Katia venait tout juste de lancer sa ligne de lingerie, et Lizzie en était encore mortifiée.

– Je peux lui demander, répondit-elle, toujours fascinée par le parquet.

– Et toi, ajouta Ava à l'attention de Carina, plissant les paupières et jouant avec son « A » en diamants, j'allais te demander si tu voulais rejoindre la direction honoraire du comité de pilotage.

– Ah bon ? s'étonna Carina, trop surprise pour rire. Qu'est-ce que c'est que ça ?

– Un groupe de gens qui se rassemblent trois ou quatre fois pour parler de la soirée. Mais cela permet surtout d'avoir son nom sur le carton d'invitation. C'est un honneur, tu vois. Nous ne le proposons qu'aux personnalités les plus distinguées.

Beuh, pensa Carina. La seule raison pour laquelle Ava la trouvait distinguée était sa fortune familiale. Peu importait qu'elle n'ait jamais assisté aux matchs de polo de Bridgehampton, ni participé au cotillon en CM2, ni à aucun autre bal à deux cents dollars l'entrée, ni à rien d'autre qu'Ava considérait comme « distingué ». Ce n'était que l'effet tiroir-caisse et rien d'autre. Pour la petite cervelle d'Ava, elle était cool simplement parce que son père était riche.

– Non, merci, répondit-elle. Ce n'est pas mon truc.

L'un des sourcils expertement épilés d'Ava s'arrondit.

– Très bien, lâcha-t-elle, l'air un peu offensé. Lizzie, Hudson, vous me direz pour le reste, ajouta-t-elle en élevant un peu la voix comme si elles étaient dures d'oreille. À plus !

Comme elle s'éloignait nonchalamment dans le couloir, Lizzie se boucha le nez.

– Mon Dieu. C'est moi, ou elle se douche au parfum Marc Jacobs ?

– Le comité de pilotage ? Comité des dingues, oui ! Tout le collège est au courant qu'elle a menti à propos de Todd.

– Et *distinguée* ? demanda Hudson dont les yeux verts s'agrandissaient de dégoût. Qu'est-ce que ça veut dire ?

– Apparemment, ça veut dire « digne d'avoir ton nom sur un carton d'invitation », dit Lizzie en levant les yeux au ciel.

– Au moins, elle ne cache pas à quel point c'est ridicule, fit remarquer Hudson. Je suppose que c'était gentil de te le proposer.

– Oui, eh bien j'aimerais mieux me faire arracher les yeux que participer à son bal débile, conclut Carina en entrant dans la classe.

Elle se rendit compte que Lizzie fonçait tout droit vers le fond de la salle, et elle vit pourquoi. Todd était assis au dernier rang, à côté de trois bureaux libres qu'il leur avait gardés. Il était adorable, comme d'habitude, avec ses cheveux châtains ondulés et ses yeux bleus de faon.

– Alors, vous êtes officiellement ensemble, maintenant ? chuchota Carina à Lizzie en s'approchant de lui.

Elle avait entendu raconter leur réconciliation épique dans Washington Square Park.

– Je crois, lui glissa Lizzie à travers ses boucles. Mais ne dis rien.

– Bien sûr, pas de problème.

Au fond d'elle-même, Carina éprouva un petit tiraillement. Pas de jalousie. Si quelqu'un méritait un petit ami qui l'adore, c'était bien Lizzie. Mais depuis qu'elles étaient amies toutes les trois (c'est-à-dire depuis l'époque des jus de fruits et de la sieste), aucune n'avait jamais eu d'histoire sérieuse avec un garçon. Désormais, apparemment, Todd allait se greffer à leur trio. Et même si elle l'appréciait beaucoup, Carina ne sautait pas de joie à cette idée.

Elle chassa ces pensées de sa tête en s'asseyant à côté de Lizzie, et salua Todd de la main. Après tout, le père du garçon allait être jugé sur des charges très lourdes, car il venait d'être arrêté pour détournement des fonds de sa société. Elle n'allait quand même pas lui faire la tête en pleine classe.

– Salut, Todd, dit-elle en s'installant. Quoi de neuf ?

Il tapa dans sa main tendue.

– Pas grand-chose. Content que tu sois de retour.

– Merci.

– Comment vas-tu ? demanda-t-il à Lizzie.

Et il lui prit la main sous le bureau. Carina se détourna pudiquement. Elle était contente pour son amie, bien sûr, mais les gouzi-gouzi publics à cette heure matinale, c'était un peu trop pour elle.

Chapitre 4

– Franchement, j'aime encore plus New York depuis que j'ai failli être exilée, annonça Carina avant de mordre dans son plat préféré : un cheeseburger de dinde à la sauce aux airelles. Je suis sûre qu'ils n'ont pas de burgers comme ça en Californie.

– Et même si c'était le cas, tu n'aurais pas le droit de manger les frites, dit Lizzie en lui en piquant une. Ils sont obsédés par la diététique, là-bas.

À côté d'elle, Hudson posa sa fourchette et bâilla à s'en décrocher la mâchoire.

– Pardon. C'est mon album qui m'épuise.

– Tu n'as pas encore fini d'enregistrer ? lui demanda Carina.

– On a dû tout recommencer, tu te rappelles ? dit Hudson tout en essayant de piquer une tomate cerise dans sa salade. Il a fallu changer de studio, refaire toutes les chansons, trouver de nouveaux musiciens. Tout ça parce que ma mère a décidé que je dois produire un son moins « musique de fond pour chez Starbucks » et plus « Christina Aguilera », conclut-elle avec humeur.

– Mais le morceau qu'on t'a entendue chanter l'autre jour au studio était magnifique, s'étonna Lizzie. Qu'est-ce qui s'est passé ?

– Ma mère a trouvé ça barbant. Bienvenue dans mon univers.

L'icône pop Holla Jones avait des opinions très tranchées sur la manière de transformer sa fille en star. Avec sa voix très soul, son incroyable talent d'écriture et sa présence intense, Hudson avait tout ce qu'il fallait pour devenir un mix de Fiona Apple et de Nina Simone. Mais Holla tenait à faire de sa fille une chanteuse de pop acidulée monopolisant le Top Cinquante, comme elle-même. Lizzie et Carina commençaient à se demander si c'était vraiment ce que voulait Hudson.

– Ton producteur est de ton côté, au moins ?

– Plus maintenant, soupira Hudson en sirotant son thé glacé. Au début, on était sur la même longueur d'ondes. Vous savez : pas de samples, pas de boîte à rythme, pas de synthés. Un son *roots*, *unplugged*. Mais maintenant, c'est de l'histoire ancienne. Il fait tout ce que lui dit ma mère. C'est hyperpénible.

– Il s'entendrait bien avec le Larbin Rampant, fit observer Carina. C'est choquant de voir à quel point il fait de la lèche à mon père, celui-là.

– Peut-être que ton producteur a simplement peur de ta mère, hasarda Lizzie.

– En parlant d'avoir peur, comment ça s'est terminé avec Martin Meloy ? lui demanda Carina.

Lizzie fit la grimace en aspirant ses nouilles chinoises.

– Quand je suis partie du shooting, il a raconté à *Women's Wear Daily* qu'il avait une nouvelle « inspiration » pour sa nouvelle collection, dit-elle en mimant des guillemets avec ses doigts. Mais, au moins, j'ai gardé le sac ! (Elle souleva le sac qu'il avait nommé le « Lizzie » en son honneur, tout en cuir blanc et couvert de boucles argentées.) Je me demande combien je peux en tirer sur eBay.

– Oh non, ne le vends pas, garde-le en souvenir ! lui conseilla Hudson. Et puis, tu seras toujours mannequin. Qu'est-ce qu'on en a à faire, de Martin Meloy ?

– De toute manière, Andrea est bien plus sympa, et je vais poser pour sa prochaine expo à la galerie Gagosian. Mais pour l'instant, je voudrais surtout me concentrer sur l'écriture. Et sur mon histoire d'amour.

– J'ai bien entendu ? Tu viens de dire « histoire d'amour », la taquina Carina.

Lizzie rougit.

– Je trouve ça trop chou, commenta Husdon. Je vous jure, Todd est chaque jour plus mignon. Je suis trop contente pour toi, Liz.

– Oui, moi aussi, ajouta Carina avec un peu moins d'enthousiasme.

– Merci les filles, fit Lizzie avec un petit rire nerveux. Et Hudson, ne te retourne pas : voilà ton admiratrice !

Carina leva les yeux de son cheeseburger et vit Hillary Crumple, élève de quatrième et fan numéro 1 de Hudson, traverser la salle. Ses fins cheveux châtains s'étaient presque tous échappés de sa queue-de-cheval, mais son sac à dos carré rose et bleu était fermement accroché à ses deux épaules. Ce jour-là, elle portait un pull rose chewing-gum, sur lequel était brodé un gros cœur en paillettes, et un kilt beaucoup trop grand qui lui arrivait à mi-mollets.

Carina aurait presque respecté Hillary d'assumer si bien sa ringardise, mais elle n'aimait pas sa manière de suivre Hudson comme un toutou en espérant devenir son amie. La semaine précédente, Hudson avait reçu sur son portable un appel d'un magazine people ; or, quelques jours auparavant, lors du bal de Chadwick, Hillary l'avait quasiment forcée à lui donner son numéro. En la regardant louvoyer entre les tables pour les rejoindre, Carina ressentit à nouveau un picotement inquiétant. Hillary Crumple, c'était toujours une mauvaise nouvelle.

– Tu reçois toujours des appels de magazines trash ? demanda-t-elle à son amie.

Celle-ci fit oui de la tête, mais posa sa main sur le bras de Carina.

– Pas un mot, d'accord ? Je ne crois vraiment pas que Hillary Crumple ait vendu mon numéro.

– Oh non, tu penses, elle a juste un autel dans sa chambre pour te vénérer, plaisanta Carina.

Hudson la fit taire d'un regard.

– Je suis sérieuse, C. Pas un mot. Je sais la tenir à distance.

Carina hocha la tête, mais lança un regard soupçonneux à Hillary qui était arrivée jusqu'à leur table.

– Salut, Hudson, gazouilla la jeune fille en fixant son idole de ses yeux vert-jaune. J'adore tes boucles d'oreilles.

Hudson toucha les feuilles d'or qui pendaient à ses lobes.

– Merci.

– Il faut que je trouve les mêmes, lança Hillary de sa voix de mitraillette. Peut-être en argent. Ma mère dit que l'argent me va mieux que l'or. On pourrait aller en acheter ensemble ce week-end ? Tu seras là ? Si on allait se balader à SoHo ? Ou à NoLIta ?

Lizzie et Carina faisaient du pied à Hudson sous la table.

– J'aimerais bien, Hillary, mais je serai en studio tout le week-end, répondit-elle gentiment.

– C'est pas grave, répondit Hillary sans se laisser démonter. Je peux t'accompagner et rester avec toi là-bas. Si tu as besoin de compagnie. Ou de quelqu'un pour jouer à la Xbox. Il paraît qu'il y en a une au studio. C'est vrai ?

Hudson semblait embêtée. Carina et Lizzie redoublèrent leurs coups de pied sous la table.

– Tu n'as donné le numéro de Hudson à personne, hein ? ne put s'empêcher de lui demander Carina.

Sous la table, elle sentit Hudson lui rendre son coup de pied.

Pour la première fois, Hillary se tourna vers elle.

– Moi ? Bien sûr que non. À qui veux-tu que je le donne ?

Les trois amies échangèrent un coup d'œil.

– À personne, laisse tomber, dit rapidement Hudson.

– Bien, je t'appelle pendant le week-end, reprit joyeusement Hillary en s'éloignant de la table. Ça te va comme ça ?

– Super, répondit Hudson en se forçant à sourire. À ce week-end.

– Oh, tu sais quoi ? Je suis trop forte à *Guitar Hero*, ajouta la fille en se tournant vivement, manquant de renverser un serveur avec son gros sac à dos.

– T'es dingue ? s'écria Carina aussitôt que Hillary fut partie. Elle ne va plus te lâcher !

– Que voulais-tu que je fasse ? Que je lui interdise de m'appeler ?

– *Oui !* lancèrent en même temps Lizzie et Carina. Ou, au moins, que tu changes de numéro, ajouta cette dernière.

– Je ne vais quand même pas changer de numéro à cause de deux ou trois appels bizarres.

– Souviens-toi de ça quand tu te retrouveras à la une des tabloïds, annonça Carina. Tu es bien trop gentille. Si tu ne te mets pas à travailler la garce qui est en toi, tu le regretteras.

Hudson haussa les épaules et retourna à sa salade. Carina buvait son Coca light à la paille. Elle savait qu'elle pouvait être un peu trop autoritaire, mais il fallait bien que quelqu'un mette les points sur les i. Ne fût-ce que pour aider Hudson à affronter sa mère.

Alors qu'elle était sur le point de mordre à nouveau dans son délicieux hamburger, Carina regarda par la fenêtre et se figea. Là, à quelques pas, se tenait Carter McLean. Debout sur le trottoir, il discutait avec ses potes en mangeant une part de pizza à emporter achetée sur la 91e Rue. Les pointes de ses mèches brunes se soulevaient dans le vent. Quelqu'un le fit rire et ses yeux verts brillèrent dans le soleil. Carina sentit son cœur sauter à l'élastique jusqu'au fond de son estomac. Heureusement qu'elle n'avait pas été envoyée à l'internat. *Merci, mon Dieu.*

Carter était élève de seconde et star de l'équipe d'athlétisme. C'était un des mecs les plus sexy de la ville. Elle était dingue de lui depuis qu'il lui avait souri dans la file d'attente au comptoir de pop-corn du cinéma d'East Hampton. Elle savait bien que ce n'était qu'un hasard, mais la semaine précédente, à la fête d'Ilona, elle l'avait surpris à la regarder. Et maintenant, elle ne pouvait plus se le sortir de la tête. Sa bande était la plus branchée de Chadwick : un groupe de jeunes super-riches et super-indépendants qui passaient leurs vacances en meute dans leurs nombreuses maisons de famille dispersées sur toute la planète. Aucun ne semblait avoir de parents, ou, s'ils en avaient, personne ne semblait leur demander leur autorisation pour quoi que ce soit. De folles rumeurs circulaient sur leurs aventures dans les night-clubs de Floride et les fêtes données par des célébrités à Malibu. Carter était sans aucun conteste le leader du groupe, et il était aussi célèbre pour son caractère de casse-cou que pour sa manie de briser le cœur des filles. Elle ne doutait pas un instant que, de tous les garçons de Chadwick, celui-ci était fait pour elle. Simplement, il ne le savait pas encore.

Et voilà que, comme s'il avait lu dans ses pensées, Carter pivota et regarda par la fenêtre, droit vers elle. Le cœur de Carina cessa de battre. Les yeux verts du garçon plongèrent dans les siens, un sourire amusé retroussa ses lèvres, et elle déglutit, la gorge serrée. Elle dut détourner les yeux pour ne pas vomir son hamburger.

Lizzie l'observa, les paupières plissées.

– C., ça ne va pas ? Tu te sens mal ?

– Carter McLean m'a encore dévisagée, à l'instant, chuchota-t-elle en donnant un coup de menton vers la fenêtre. Ne regardez pas.

Aussitôt, Lizzie et Hudson tordirent le cou pour jeter un coup d'œil, mais Carter discutait de nouveau avec ses amis ultrabranchés, Laetitia et Anton. Laetitia Dunn était une grande blonde longiligne, élève de seconde, dont l'expression blasée indiquait qu'elle avait déjà tout vu, tout fait, et n'avait rien à en dire. Elle sortait, apparemment, avec un mannequin de vingt-cinq ans qui vivait à Paris. Anton West, lui, était brun, avec un regard perçant, et ne souriait jamais. Carina les trouvait tous les deux très intimidants.

– Ça fait deux fois cette semaine, compta Hudson, impressionnée. Il a vraiment un faible pour toi, C.

– OK, c'est bon, annonça Carina en s'essuyant les mains sur sa serviette. Je vais le brancher.

Et elle se leva.

– *Maintenant* ? glapit Hudson.

– Ben oui, pourquoi ? Visiblement, il en a envie, non ?

– Je ne sais pas, dit Lizzie. Il me fait une impression bizarre. Lui et ses amis.

– Je ne vais pas parler à ses amis.

– Il m'a l'air un peu imbu de lui-même, non ? insista Lizzie.

– Il est *sûr de lui*, la corrigea Carina.

– Forcément, fit Hudson. Il ne vient pas d'escalader le mont Denali, ou un truc dans le genre ?

– Je crois que c'était plutôt du deltaplane dans le Sahara, précisa Carina en enroulant son écharpe autour de son cou.

– Alors va faire des étincelles, lui dit Lizzie avec un sourire patient. On te regarde d'ici.

En marchant vers la porte, Carina sentit l'adrénaline commencer à agir. Elle adorait faire le premier pas avec les garçons, même si ses amies ne l'approuvaient pas toujours. Elle savait que souvent, ils avaient simplement trop peur d'elle pour l'aborder, et que neuf fois sur dix, si c'était elle qui prenait l'initiative, ils finissaient par lui demander son numéro.

Mais en général, c'était à ce moment-là qu'ils cessaient de lui plaire. Elle ne savait pas trop pourquoi. Ses amies disaient que c'était parce qu'elle ne s'intéressait qu'au défi. « On dirait que tu veux escalader les mecs au lieu de sortir avec », aimait à répéter Lizzie.

Mais elle savait qu'avec Carter McLean c'était différent. Jamais elle ne se lasserait de contempler sa fossette au menton, ou de baigner dans les vibrations décontractées qui émanaient de lui. Et en plus, il n'était sûrement pas du genre collant et envahissant. Il demeurait toujours légèrement hors d'atteinte. C'était précisément ce qu'elle aimait chez lui.

Elle sortit sur Madison Avenue. Carter avait terminé sa pizza, mais il était toujours en pleine conversation avec Laetitia et Anton. Dès qu'elle fut dehors, il tourna la tête vers elle.

– Salut, lui lança-t-elle avec un vague geste de la main en s'avançant dans la rue. Je te prends quelque chose à la confiserie ?

Elle était tellement nerveuse que sa voix faillit se briser. Elle sentait le regard de Laetitia et d'Anton la transpercer.

– Quoi ?

– Je vais acheter des bonbecs. Tu en veux pour toi ?

Il enfonça les mains dans ses poches et fit un pas dans sa direction. Fort heureusement, Laetitia et Anton se mirent à discuter ensemble.

– Non, mais je t'accompagne si tu as besoin d'aide, dit-il avec un sourire qui semblait indiquer qu'il savait exactement ce qu'elle avait en tête.

– Alors viens !

Et ils se dirigèrent vers la boutique *Sweet Nothings*, sur Madison Avenue. Carina y passait presque tous les soirs après les cours, car on y trouvait toutes les spécialités euro-péennes qui n'étaient pas en vente ailleurs. Elle prit un sachet plastique et s'approcha des bocaux de bonbons au poids. Carter la suivait de près. Elle prit soudain conscience que c'était un peu gênant. Elle l'avait entraîné ici, à présent il fallait bien lancer la conversation.

– On dirait qu'il va neiger, dit-elle en ouvrant le pot de truffes bavaroises au chocolat noir. J'ai trop hâte d'aller faire du snowboard. Tu en fais, toi aussi, je suppose ?

– Évidemment, mais pas ici, lâcha-t-il de son air fausse-ment modeste. La côte est, c'est naze.

– C'est sûr, Aspen c'est bien mieux !

– Non, ça aussi c'est naze. Tu es déjà allée dans les Alpes ?

– Jamais. Mais il paraît que c'est génial.

À se tenir si près de Carter, elle avait les mains moites.

– Tu verrais la poudreuse là-bas ! Mon oncle a un chalet à Chamonix. Mes potes et moi, on va y aller pour les vacances de Noël.

– C'est vrai ? couina Carina, presque incapable de regar-der ses yeux verts, si sexy.

– Sa baraque est au pied des pistes, avec une vue démente sur toute la vallée, expliqua-t-il en chassant une boucle de ses yeux. Il y a un Jacuzzi, une cuisine immense... Et les boîtes de nuit, là-bas, c'est carrément la folie.

Un sourire naquit lentement sur ses lèvres. Et là, il lui demanda :

– Tu veux venir ?

Carina faillit en lâcher son sac de truffes.

– Hein ? Quoi ?

– On est toute une bande à aller y passer dix jours pendant les fêtes, répéta-t-il en se servant directement dans un bocal de caramels au chocolat. Laetitia, Anton et les autres. Puisque tu aimes le snow... (Il avala les caramels et lui sourit largement, montrant un parfait alignement de dents blanches.) ... tu devrais venir avec nous.

Une vision passa dans la tête de Carina : Carter et elle sur leurs snowboards, surfant du haut en bas de la montagne, ensemble, et s'embrassant pendant qu'un coucher de soleil rose et or illuminait un paysage de carte postale...

– Sans problème ! dit-elle, un peu trop fort. Je viens !

– Cool, lâcha Carter en reculant un peu. Je te donnerai le prix des forfaits remontées mécaniques. Et on a déjà réservé nos vols sur Swissair. C'est Laetitia qui sait tout ça. Elle envoie des e-mails groupés.

Carina, bien sûr, savait qu'ils ne seraient pas seuls, mais l'idée de passer dix jours – dix jours d'affilée ! – en compagnie de Carter était presque trop énorme.

– C'est parfait, dit-elle en s'efforçant d'avoir l'air détendue tout en présentant à la vendeuse un billet de vingt dollars. Et j'espère que tu skies aussi bien que tu le dis, hein ? Parce que je vais te laisser sur place, sur les pistes.

– C'est ce que tu crois, répondit Carter avec un sourire. J'ai hâte de voir ça.

Ils sortirent de la boutique et Carina le regarda rejoindre Laetitia et Anton.

Lorsqu'elle regagna sa place dans le restaurant, elle souriait si fort que Lizzie en avala son chocolat chaud de travers.

– Oh non, qu'est-ce qui s'est passé ? Raconte !

– Vous n'allez jamais me croire. Je suis invitée dans les Alpes à Noël ! On va faire du snowboard.

Et elle posa son sac de bonbons sur la table d'un air solennel.

– C'est pas génial, ça ?

– Tu vas partir *seule* avec lui ?

Les yeux de Hudson devenaient aussi grands que des dollars en argent.

– Non, sa bande sera là aussi.

– Attends... Tu pars en vacances avec *eux* ? s'étrangla Lizzie en regardant Laetitia et Anton. Tu es sûre que tu veux vraiment ça ?

– Hé, ho, ce ne sont pas des *serial killers*, non plus ! se défendit Carina. Et il m'a demandé si je voulais venir.

– En tant qu'*amie*, clarifia Lizzie.

– Si tu veux, mais c'est clairement le début de quelque chose. Quel mal y a-t-il à cela ?

– Rien rien, dit Lizzie. C'est juste qu'ils ne sont pas vraiment de notre genre, c'est tout.

– Bah, ça va être formidable, intervint Hudson. Il est de quel signe, déjà ?

– Je te dirai ça. (Carina ouvrit le sachet plastique.) Je vous ai dit qu'il y a un Jacuzzi chez son oncle ?

– Holà, C., lança Hudson en secouant la tête d'un air incrédule. Tu devrais devenir coach en séduction ou quelque chose comme ça.

– Bah, c'est fastoche, conclut Carina en fourrant un chocolat dans sa bouche.

Chapitre 5

Devant la glace, Carina se tournait à droite et à gauche en chantant sur la musique tonitruante. Le débardeur Catherine Malandrino était parfait. La teinte jaune vif mettait en valeur ses mèches blondes, les bretelles faisaient ressortir ses épaules bronzées, semées de taches de son, et la soie légère tombait parfaitement sur ses hanches. *Vendu*, pensa-t-elle. Il y avait des chances pour que Carter l'invite à sortir avant le départ pour Chamonix, et cela était exactement ce qu'elle voulait porter pour leur premier rendez-vous. Et puis, à deux cent quatre-vingts dollars, c'était une affaire.

– Comment ça va, là-dedans ? demanda l'aimable vendeuse à travers le rideau de la cabine d'essayage.

– Parfait ! cria Carina en baissant la fermeture Éclair du petit haut. Je le prends !

Elle le passa par-dessus sa tête, puis le tendit par le côté du rideau avec sa carte American Express Platinum.

– Formidable ! roucoula la vendeuse en prenant les deux. Je vous encaisse.

Carina fit la grimace en enfilant son coll roulé. Diana, sa coach personnelle, lui avait infligé une série de pompes et de planches mortelles pour rattraper les deux jours passés dans l'avion de son père, si bien qu'elle pouvait à peine lever les bras. Elle avait hâte d'être chez elle pour prendre un bon bain chaud, sauf qu'elle risquait fort de croiser le Jurg. Elle avait réussi à l'éviter depuis leur retour de Californie et n'était pas pressée de voir cette bonne fortune prendre fin. Elle regarda sa montre. Six heures et demie. Elle espérait qu'il était en train de perdre son temps dans un cocktail ou autre événement mondain infesté de paparazzis.

Elle repoussa le rideau et s'approcha de la caisse, où la vendeuse enveloppait le vêtement dans un délicat papier de soie rose. Elle était identique à toutes les employées des magasins Intermix : grande, tellement maigre que sa poitrine était presque en creux, les cheveux couleur cuivre noués négligemment, comme pour dire : « Je n'ai même pas besoin de faire un effort pour être belle. »

– Ce haut est trooop adorable, roucoula-t-elle en fermant le paquet avec amour à l'aide d'un sticker. C'est pour quelle occasion ?

– Un rencard avec un garçon, dit Carina, pragmatique, en tripotant une paire de boucles d'oreilles en or.

– Ooooh, il va *adorer*, l'assura la vendeuse avec un de ces sourires complices qui la laissaient toujours perplexe.

Elle regarda la carte American Express de Carina.

– Vous êtes de la famille de *Karl* Jurgensen ?

– Bah oui. C'est mon père.

La fille en resta comme deux ronds de flan.

– Alors il faut nous donner votre adresse mail. Pour être au courant des nouveaux arrivages, des ventes privées, ce

68

genre de choses. Un privilège réservé à nos clientes préférées.

Tiroir-caisse, songea Carina.

– Euh, d'accord.

La vendeuse glissa sa carte de crédit dans le lecteur. Un
bip strident retentit.

– Tiens, dit-elle en observant la machine, les sourcils
froncés. Votre carte est désactivée.

– Quoi ?

Carina regarda la carte argentée dans la main de la vendeuse.

– Vous êtes sûre ? Elle est arrivée à expiration ?

La fille lut les chiffres en relief.

– Non. Elle expire l'an prochain.

Elle la repassa dans la machine. Le même bruit agaçant
résonna.

– Hmm. Ça ne passe pas.

– Bizarre, dit Carina en ouvrant son portefeuille. Essayez
celle-ci, ça devrait marcher.

Elle tendit sa carte Visa à débit différé.

La vendeuse essaya. Cette fois, le bip ressembla davantage
à un gloussement irrité.

– Ça dit que vous n'avez pas les fonds requis, annonça
l'employée. Vous voulez essayer avec une autre ?

Elle eut une expression compatissante, du genre : « Ne vous
en faites pas, nous sommes ensemble dans cette galère. »

– Euh, oui...

Carina sentait ses joues commencer à chauffer. Elle sortit
sa MasterCard réservée aux urgences absolues, celle qui dis-
posait d'un crédit de cinquante mille dollars.

– Essayons avec ça.

L'autre la prit sans un sourire et la passa dans la machine. Qui tinta de nouveau.

– Eh bien..., souffla la vendeuse, en faisant semblant de n'y rien comprendre. Celle-ci ne fonctionne pas non plus. Si vous voulez, je vous mets le débardeur de côté le temps que ce soit arrangé.

– Non, pas la peine, dit Carina.

La vendeuse lui rendit sa MasterCard.

– Vous êtes sûre ? demanda-t-elle gentiment.

Carina jeta la carte directement dans la poche de son sac de cours.

– Oui oui, ça ne fait rien. Il doit y avoir une erreur à ma banque.

– Sans doute.

Sur ces mots, la vendeuse défit l'emballage et ressortit le petit haut. Carina le regarda avec mélancolie.

– Vous êtes sûre que vous ne voulez pas que je vous le mette de côté ?

– Certaine.

Désormais, Carina était consciente que ses joues étaient en feu. Il fallait qu'elle se tire de là.

– Merci pour tout !

Elle remonta son sac de sport sur son épaule, fit volte-face et fonça vers la sortie.

Une fois dans Madison Avenue, elle héla un taxi, mais elle sentait encore le regard de la vendeuse dans son dos. Heureusement, une voiture s'arrêta immédiatement.

– 57ᵉ et Lexington, dit-elle au chauffeur en claquant la portière.

Pendant que le taxi tournait dans Park Avenue, Carina ouvrit la poche de son sac, sortit son portefeuille et étala toutes ses cartes de crédit sur ses genoux. Elles étaient là, minces, légère, inutiles. Il y avait un problème, un terrible problème. Depuis son douzième anniversaire, où son père lui avait offert sa première MasterCard, jamais on ne lui avait refusé un paiement, pas même lorsqu'elle avait payé des chambres au luxueux hôtel *Saint Julien* de Boulder, dans le Colorado, pour tout son groupe de randonnée, ni quand elle avait craqué pour un survêtement Helmut Lang totalement hors de prix. Mais le plus déroutant était que sa carte à débit différé n'ait pas fonctionné non plus. Elle ne savait pas trop qui s'occupait de son compte courant, mais apparemment, elle ne pourrait pas couper à une explication avec son père, qu'elle le veuille ou non.

À l'angle de la 57e Rue et de Lexington Avenue, elle fourra un billet de dix dollars dans la main du chauffeur sans demander la monnaie et descendit du taxi. Elle salua rapidement de la main les trois portiers de son immeuble, évita la vieille dame qui sortait promener ses trois carlins et se dirigea vers les ascenseurs. Les Jurgensen possédaient un ascenseur privatif, qui débouchait directement dans leur triplex du soixante-deuxième étage.

Une fois dans l'ascenseur, elle s'adossa à la paroi et laissa tomber son sac de classe et son sac de sport par terre. Son ventre gargouillait, et elle se demanda ce que Nikita avait préparé pour le dîner. Et puis elle voulait toujours prendre un bain...

BLONG !

Une main se tendit entre les portes pour les rouvrir, et le

père de Carina pénétra dans l'étroite cabine, élégant et légèrement inquiétant dans son costume-cravate bleu nuit. Les portes de l'ascenseur se refermèrent. Prise au piège. Le temps de monter soixante-deux étages.

– Tiens, Carina ! Quel plaisir de te voir, dit-il en appuyant sur le bouton alors qu'elle l'avait déjà fait.

– Bonjour, répondit-elle froidement.

Pendant qu'ils montaient, elle observa fixement la moquette à carreaux, complètement crispée. La tension était à couper au couteau.

– J'ai longuement repensé à ce que tu m'as dit hier matin, lâcha le Jurg avec un calme à faire froid dans le dos.

– Ce que je t'ai dit ?

Elle mourait d'envie de lui demander des explications sur son compte en banque et ses cartes de crédit, mais quelque chose lui disait que ce n'était peut-être pas le moment.

– Oui, quand tu m'as reproché de limiter mon rôle de père à te payer des choses.

Levant la tête, elle vit qu'il l'observait droit dans les yeux, et elle crut deviner une infime ébauche de sourire sur son beau visage sévère.

– J'ai conclu que tu avais raison. Je vais donc arrêter.

– Arrêter quoi ?

Son ventre gargouilla de plus belle. Elle espérait que Nikita avait fait ses gnocchis à la sauce rose.

L'ascenseur était arrivé. Ils prirent pied dans un petit vestibule.

Karl s'arrêta devant la porte d'entrée blindée au titane, tapa le code secret – *maitredujeu* –, et le battant pivota. Ils entrèrent dans le couloir aux tableaux, subtilement éclairé.

Derrière sa batterie d'écrans de vidéosurveillance, Otto salua le Jurg d'un bref signe de tête.

Il ne lui avait toujours par répondu, ce qu'elle interpréta comme une invitation à le suivre. Ils passèrent devant le Basquiat, la boîte de soupe de Warhol, la toile représentant des assiettes cassées, et enfin entrèrent dans le bureau. Derrière les fenêtres, la moitié nord de Manhattan étincelait comme une collection de diamants.

– Alors, arrêter quoi ?

Son père alluma sa lampe de bureau, ce qui envoya des ombres sur son visage taillé au couteau.

– L'argent de poche, répondit-il tout simplement. Plus de cartes de crédit, plus de compte en banque. Plus de fonds illimités. Car tu avais raison. J'ai été bien trop généreux avec toi.

– Attends... Tu me coupes les vivres ?

Elle avait les doigts crispés sur son sac de sport.

– Plus de shopping, plus de coiffeur, plus de coach sportif, continua-t-il en s'asseyant et en effleurant son ordinateur portable pour le rallumer. Plus d'abonnement à la salle de sport. Plus de voyages au bout du monde. Plus d'iPhone.

– Tu veux m'enlever mon *téléphone* ?

– Pas tout à fait. Je t'ai trouvé un modèle un peu plus raisonnable.

Et ouvrant le tiroir de son bureau, il en sortit un objet au look tellement préhistorique qu'il semblait dater d'avant le XXIe siècle.

– Ceci devrait convenir, dit-il en le lui tendant.

Elle garda les yeux rivés sur l'encombrant appareil, épais et argenté, qu'elle avait en main.

– C'est une *blague* ?

– Et Max ne te conduira plus au lycée. Tu n'auras qu'à te servir de ceci.

Il prit une mince carte jaune sur son bureau. Le logo du service des transports publics métropolitains apparaissait clairement dessus.

– Avec ça, tu iras où tu voudras. S'il est tard, je pourrai t'appeler une voiture.

Il posa la MetroCard sur le téléphone dans sa main.

– Tu te moques de moi ?

– Oh, j'ai failli oublier, continua-t-il, imperturbable, en sortant son portefeuille de la poche de sa veste, les sourcils froncés. Ta semaine.

Carina retint son souffle pendant qu'il plongeait les doigts dans le portefeuille. Ouf, son père n'avait pas totalement perdu la boule, Dieu merci.

Il sortit un billet craquant qu'il posa sur les deux autres objets. En le voyant, elle eut un haut-le-corps. Vingt dollars.

Elle resta figée, clignant des yeux, incapable de faire un geste. Vingt dollars par semaine, à New York City ? Il était dingue ? Autant ne rien lui donner du tout.

– *Vingt* dollars ? éclata-t-elle. Comment veux-tu que je vive avec ça ?

Il haussa exagérément les épaules.

– Tu ne vis pas avec, ce n'est que ton argent de poche, pour acheter ce que tu *veux*, pas ce dont tu as *besoin*, dit-il calmement. Tu as des vêtements, tu es nourrie, ta scolarité est payée. De quoi d'autre as-tu besoin, Carina ?

Ses lèvres bougèrent, mais aucun son n'en sortit.

– Que... quoi ? finit-elle par balbutier. Pourquoi tu me fais ça ? Tu me prends pour une petite princesse pourrie gâtée qui ne pense qu'au shopping ?

– Je reçois tes factures, Carina, répliqua-t-il froidement en se renversant dans son fauteuil pivotant, joignant le bout des doigts. Je crois que je sais encore mieux que toi qui tu es.

La colère lui remonta dans la gorge, amère et brûlante.

– Alors bien sûr, voilà ce que tu fais pour me punir, dit-elle d'une voix pâteuse. Comme tu es obsédé par l'argent, tu crois que tout le monde l'est aussi.

– Mais c'était ton idée, Carina. C'est toi qui m'as dit que je te donnais trop de choses, tu te rappelles ?

Elle aurait bien continué à râler, mais elle savait que cela ne servait à rien. La seule chose qu'elle pouvait faire, la seule chose qui puisse sauver sa dignité pour le moment, c'était partir.

– Si tu le dis, cracha-t-elle avant de se retourner et de sortir en courant.

Elle dévala l'escalier quatre à quatre, malgré ses courbatures aux jambes, et claqua la porte de sa chambre si fort qu'elle espéra faire tomber une des toiles de maître.

– Arrrgh ! cria-t-elle en tambourinant sur la porte avec ses poings.

Le billet de vingt, la MetroCard et le téléphone dégringolèrent par terre.

Il fallait qu'elle parle à sa mère. Il n'était que midi et demi à Hawaï. Mimi serait furieuse contre lui. Il n'y avait plus qu'à espérer qu'elle soit dans les parages. Carina prit le téléphone antédiluvien, l'ouvrit et pressa le bouton rouge.

Une mélodie tonitruante résonna et un panda en cristaux liquides traversa l'écran noir et blanc. Un panda ? Personne, *personne* ne devait la voir avec ça.

Elle composa le numéro de sa mère et écouta sonner dans le vide. La messagerie s'enclencha : « Bonjour, vous êtes bien chez Mimi... »

Elle referma l'appareil et le jeta à travers la pièce. Qu'aurait pu dire ou faire sa mère, de toute manière ? Comment aurait-elle pu l'aider cette fois ? Priver leur fille de ses cartes de crédit n'était pas interdit par leur accord.

Elle haïssait son père, elle le *haïssait* ! Elle se jeta sur son lit. C'était tellement injuste ! Elle qui ne s'intéressait même pas aux fringues ni au maquillage ! D'accord, elle aimait bien s'acheter de jolies choses de temps en temps... Comme tout le monde, quoi ! Mais ce n'était pas la vraie Carina, ça. La vraie pouvait passer six semaines dans la montagne avec juste une pelle et un rouleau de papier toilette. Mais cela, bien sûr, il l'ignorait ! Comment aurait-il pu le savoir ? Et lui, combien de temps aurait-il tenu en pleine montagne ? S'il avait dû passer une journée sans son kit de rasage de chez Kiehl's, il aurait fallu proclamer l'état d'urgence.

Elle attrapa la balle antistress violette sur sa table de nuit et la pétrit entre ses doigts, jusqu'au moment où une idée soudaine la frappa. Elle se redressa sur son lit. Il la prenait pour une sale petite princesse gâtée ? Alors elle lui donnerait tort – et elle allait commencer tout de suite. S'il voulait qu'elle survive avec vingt dollars par semaine – une mission quasiment impossible à New York –, c'était exactement ce qu'elle allait faire. Il ne restait plus qu'à espérer qu'au bout de quelques semaines, il verrait qu'elle avait appris sa leçon et lèverait cette punition ridicule.

Ce ne sera peut-être pas trop dur, pensa-t-elle en jetant un regard au billet froissé par terre. Ce n'était que de l'argent, après tout. Et elle n'était pas Ava Elting, qui se serait retrouvée en état de manque si on lui avait refusé un sac à huit mille dollars.

Il verrait qu'elle ne se portait pas plus mal, qu'il n'avait rien fait du tout pour changer sa vie. Qu'il était *incapable* de changer sa vie. Qu'il n'avait aucune prise sur elle, même s'il était persuadé du contraire. Elle était toujours Carina. Et ce n'était pas le montant de son argent de poche qui y changerait quoi que ce soit.

Chapitre 6

– Alors ton père a fait ça *comme ça* ? demanda Hudson en claquant des doigts, faisant tinter les bracelets en émail Fiorucci vintage de sa mère. Il t'a coupé les vivres sans t'en parler avant ?

– Il n'allait pas lui demander son autorisation, pointa Lizzie en étendant ses longues jambes pâles sous le petit bureau dans la salle de classe. Tout est dans l'effet de surprise. C'est expliqué dans *L'Art de la guerre*, ajouta-t-elle en laissant tomber son sac sur la table libre à côté d'elle. Vous savez, ce livre que se doivent de lire tous les hommes d'affaires.

– Mais il ne s'agit pas d'une OPA sur une télé câblée concurrente ! Il était juste censé me punir, grommela Carina. Et au fait, est-ce qu'il sait au moins ce que c'est qu'une punition ?

Elle déroula son écharpe et s'essuya le front du dos de la main. Prendre le métro l'avait amusée au début, mais la rame était restée arrêtée sur les voies pendant une éternité, et elle avait dû courir pour arriver au lycée à l'heure.

– Il faut dire que tu l'as publiquement humilié devant

des milliers, voire des millions de gens, fit observer Lizzie. Je dis ça, je ne dis rien.

– Laisse-moi t'offrir le top Catherine Malandrino, proposa Hudson en posant sa main sur le poignet de Carina. Tu pourras me rembourser plus tard.

– C'est gentil, mais non merci, répondit Carina en sortant un papier de son sac. Ce n'est pas la fin du monde, les filles. Je ne suis pas une accro au shopping.

Elle vit que Hudson et Lizzie la regardaient avec scepticisme.

– Mais c'est vrai, quoi !

Hudson lui lança un regard aussi dur que possible.

– Tu crois, C. ? Ça t'est déjà arrivé, dans ta vie, de vivre avec vingt dollars par semaine ?

– Non, mais là n'est pas la question. Je ne suis pas obsédée par l'argent. Et je trouve un peu vexant que mon père croie le contraire.

– Tu n'es peut-être pas obsédée, n'empêche que tu aimes dépenser, clarifia Lizzie en tirant sur une de ses longues mèches rousses.

– Et alors ? Comme tout le monde. Et je peux m'arrêter. Ce n'est pas un problème.

– Et les vacances avec Carter ? s'enquit Hudson en mordillant sa lèvre pulpeuse.

– Je suis sûre que papa aura mis fin à cette idiotie d'ici là, marmonna Carina.

Mais peut-être pas, répondit une petite voix dans sa tête. Comme dans un film de science-fiction, les images de Carter et elle dévalant les pentes alpines commençaient à devenir plus floues, plus lointaines, plus pâles.

80

– Et même si ce n'est pas le cas, je trouverai bien un vol sur une compagnie low cost.

– Un vol à vingt dollars ?

– Je me débrouillerai, trancha Carina en donnant un coup de pied dans son sac à dos posé par terre. Ce n'est pas la fin du monde, OK ?

Elle regarda la feuille de papier qu'elle avait sortie de son sac. C'était encore une chanson qu'elle avait imprimée en arrivant au lycée.

Mon premier amour, tu es mon souffle
À chaque pas que je fais.

Dessous, elle griffonna au stylo rouge :

ED, MON AMOUR INFINI.

Elle plia la feuille et la rangea dans son cahier de SVT. Au moins, elle avait encore ces missives pour rigoler un peu.

– Todd m'écrit qu'il sera légèrement en retard, annonça Lizzie en regardant son téléphone. Il demande qu'on lui garde une place.

– Il va s'asseoir avec nous tous les matins ? souffla Carina, comprenant trop tard qu'elle venait de parler tout haut.

– Ben oui, répondit Lizzie, visiblement blessée. Ça ne te pose pas de problème, au moins ?

– Non non, c'est très bien, dit Carina en faisant semblant de gribouiller dans son cahier.

81

Lorsqu'il arriva quelques minutes plus tard et fonça droit vers la place réservée à côté de Lizzie, elle veilla à lui faire un grand sourire et à le saluer de la main. Pourtant, sa question semblait encore en suspens, planant comme un nuage d'orage entre son amie et elle.

Pendant toute la matinée, Carina pensa à ses vingt dollars. Elle avait toujours été forte pour se discipliner afin d'atteindre un objectif, qu'il s'agisse de courir un mile en six minutes ou de faire cinquante pompes d'affilée. Désormais, l'objectif était de ne dépenser son argent que quand et si c'était absolument nécessaire. Le Jurg avait raison, même si c'était dur à admettre. Elle avait de quoi s'habiller, de quoi se déplacer, de quoi manger. Que lui fallait-il de plus ?

– Qui veut aller au restau ? demanda-t-elle à Lizzie et à Hudson devant les casiers au début de la pause déjeuner.

À nouveau, elle mourait de faim.

– Euh... Tu en as les moyens ? lui demanda prudemment Hudson.

Carina leva les yeux au ciel.

– Je ne suis pas complètement fauchée, quand même. Et j'ai oublié d'emporter un sandwich ce matin.

– Tu ferais peut-être mieux d'acheter un bagel, suggéra Lizzie. Le restau n'est pas donné.

– Ce n'est pas un petit hamburger qui va me mettre sur la paille. Allez, venez.

Au restaurant, Carina engloutit son hamburger de dinde et épongea toute la sauce aux airelles avec ses frites de patate douce. Tout était succulent. *Peut-être que quand on est pauvre on apprécie mieux les bonnes choses*, songea-t-elle.

– Vous en voulez ? demanda-t-elle à ses amies.

Hudson secoua négativement la tête en mâchant son croque-monsieur.

– Non merci, dit Lizzie avant de mordre dans son bagel toasté.

Lorsque le serveur déposa l'addition sur la table, Carina s'en saisit vivement.

– Je suis sûre que c'est moi qui dois le plus, s'exclama-t-elle gaiement en observant les chiffres.

Son regard s'arrêta net sur le prix de son repas. Elle devait dix dollars. Dix dollars. *La moitié* de son argent de poche. Conclusion imparable : il ne lui restait que dix dollars pour les six jours à venir.

– C. ? Ça va ? s'inquiéta Hudson.

– Oui oui, pas de problème, répondit-elle en sortant son portefeuille. De toute manière, il fallait que je fasse de la monnaie.

Elle posa son billet très soigneusement sur le tas d'argent, telle une offrande aux dieux.

– Carina ? demanda doucement Lizzie en jetant un regard à Hudson de ses immenses yeux noisette. Laisse-moi t'inviter.

– Non, non, c'est pour moi, protesta-t-elle en s'efforçant de sourire. Ça en valait largement la peine.

Mais lorsque le serveur indéridable ramassa la monnaie en passant près de leur table, elle dut se mordre les lèvres pour ne pas lui crier de revenir.

Plus tard dans l'après-midi, en cours de SVT, Carina se réveilla en sursaut. Le hamburger et les frites avaient été un régal, mais ils l'endormaient complètement. Au tableau, Sophie Duncan et Jill Rau faisaient un exposé très ennuyeux, très propice à la sieste, sur les gaz à effet de serre. Carina

83

sentit ses paupières s'alourdir. Elle pouvait très bien se passer de cet exposé.

Enfin, elle entendit Sophie dire : « Ce qui nous amène à la conclusion... »

Elle ouvrit les yeux en battant des paupières.

– Nous aimerions collecter des dons pour le Fonds des émissions carbone, annonça la fille en remontant ses lunettes sur son nez. Tous les bénéfices serviront à acheter des crédits carbone afin de purifier l'air que nous respirons. Tout ce que vous pourrez donner sera donc bienvenu.

Carina se figea. Des dons, c'était de l'argent. Elle vit Sophie et Jill jeter chacune un billet dans le panier. Tout le monde se mit à ouvrir son sac. Le bruit des porte-monnaie s'ouvrant et des pièces sonnant devint soudain assourdissant. Carina commençait à paniquer. Elle allait devoir mettre quelque chose dans la corbeille : elle ne pouvait pas *ne pas* donner, surtout pour la pureté de l'air. Mais il ne lui restait que son dernier billet de dix.

Déjà Jill approchait de sa table avec la corbeille. Le temps lui était compté.

– Eh, Will ! chuchota-t-elle au garçon assis à côté d'elle.

Will McArdle lui lança un regard méfiant. Il ne lui parlait plus depuis quelques semaines, depuis qu'elle l'avait accusé de tricher pendant une interro portant sur la table des éléments périodiques.

– Tu as de la monnaie ? lui demanda-t-elle d'un air détaché en lui tendant son billet.

Avec un regard mauvais, il le prit et sortit deux billets de cinq d'une liasse impressionnante.

– Tiens, grogna-t-il en les lui passant.

Elle aurait préféré un billet de cinq et cinq billets de un, mais elle était trop gênée pour faire la difficile.

– Merci ! gazouilla-t-elle.

Quand la corbeille passa devant elle, elle y jeta un billet de cinq. Après quoi elle contempla l'autre dans sa main. C'était tout ce qui lui restait. Pour six jours.

Qu'était-il arrivé ? En trois heures, elle avait claqué les trois quarts de sa semaine pour un malheureux hamburger et un air plus propre. Mais elle n'avait pas eu le choix. Il fallait bien qu'elle déjeune, et elle ne pouvait quand même pas être radine avec une bonne cause.

N'est-ce pas ?

Elle n'était plus sûre de rien. Être économe se révélait épuisant, autant que résoudre une difficile équation d'algèbre. Elle glissa les cinq dollars dans son portefeuille. Elle n'allait plus y penser. Du moins tant que ce ne serait pas absolument nécessaire.

À la fin de la journée, Lizzie, Hudson et elle tombèrent sur Carter, Laetitia et Anton en sortant du lycée. Ils se tenaient devant le marchand de glaces du coin de la rue.

– Eh, Jurgensen ! la héla Carter. Ça te dit qu'on mange une glace ?

Après sa journée tendue, passée à penser à l'argent, flirter un peu serait une distraction bienvenue.

– D'ac, dit-elle en s'approchant de lui, le cœur battant la chamade.

Elle jeta un regard à ses amies pour leur intimer en silence de la suivre. Ce qu'elles firent.

Une fois à l'intérieur, Carina se glissa à côté de Carter devant le comptoir pour étudier les parfums proposés.

– Alors comme ça, tu aimes le froid ? lui demanda-t-elle d'un ton enjoué.

– Seulement quand tu es là pour me réchauffer, répondit-il avec un sourire.

Carina sentit un frisson lui descendre le long de l'échine. Elle n'arrivait plus à penser correctement.

– Bon, qu'est-ce que vous voulez ? demanda la vendeuse bourrue, brandissant sa cuiller à glace telle une épée.

Carina se rendit soudain compte qu'il fallait qu'elle commande. Elle consulta rapidement la liste des prix au-dessus du comptoir. La petite portion était à trois dollars cinquante. Il lui en restait cinq. La panique qu'elle avait éprouvée en SVT se remit à courir dans ses veines. Elle avait fait une bêtise en entrant ici, mais à présent, elle était coincée. Si elle ne commandait rien, Carter allait croire qu'elle était entrée avec lui uniquement pour flirter. Ce qui était, *grosso modo*, la vérité.

– Griotte, dit Carter. Deux boules.

– Une boule menthe-pépites de chocolat, commanda Hudson.

– Citrouille, une boule, ajouta Lizzie.

Carina était paralysée devant l'étalage de glaces.

La femme tambourina sur la vitre.

– Et vous ? demanda-t-elle.

– Euh... Pareil, une boule citrouille.

Et voilà. Il lui restait un dollar cinquante. Carina se mordit la lèvre en regardant la femme déposer une boule de glace qui ne lui faisait même pas envie dans un petit pot en papier. Elle tendit sa glace à Carina, qui lui donna le billet de cinq en serrant les dents.

Une fois que tout le monde eut payé, Carter se pencha si près que Carina sentit son bras contre elle.

– On va manger une pizza chez *Serafina* ce soir, dit-il. Au coin de Madison et de la 79ᵉ. Tu veux venir ?

Oui ! avait-elle envie de crier.

– Ah, impossible, mentit-elle, le cœur en cendres. Je pars pour Montauk ce soir. Une autre fois ?

– Si tu veux, répondit-il, un peu froid.

– Et je pense toujours aux vacances dans les Alpes, ajouta-t-elle avec un sourire.

– Les autres commencent à acheter leur forfait, dit-il en enfournant une bouchée de glace. Je crois que c'est deux cents dollars, quelque chose comme ça. Ce n'est pas ce que je t'ai dit ? s'enquit-il auprès de Laetitia, qui hocha la tête d'un air blasé.

– Donne un chèque à Carter ou à moi dès que possible, précisa-t-elle d'un ton morne. On prend tous le même avion le vingt-six au soir. Swissair. Je t'envoie les détails tout à l'heure, si tu veux.

– Super ! Bon week-end ! lança joyeusement Carina.

Il fallait vraiment qu'elle sorte de là. Elle prit Lizzie par le bras et la traîna vers la porte, suivie de près par Hudson.

– Tout va bien ? demanda cette dernière en sortant dans le vent glacé.

– Chez moi. *Tout de suite !* souffla Carina en les conduisant jusqu'au coin de la rue.

– On ne peut pas plutôt aller chez moi ? demanda Lizzie. Je te rappelle que je suis privée de sorties.

– D'accord.

Et Lizzie héla un taxi.

Quelques minutes plus tard, Carina faisait les cent pas sur le tapis de son amie en mâchant férocement un chewing-gum. Toutes les dix secondes, elle pivotait sur la pointe des pieds et repartait dans l'autre sens.

– Du calme, C., dit Lizzie, assise devant son ordinateur. Je suis stressée rien qu'à te regarder.

– Je refuse – *je refuse* – de laisser arriver une chose pareille, râla Carina en faisant de nouveau volte-face. Il peut me couper les vivres, il peut me donner un téléphone préhistorique, mais il n'est pas question qu'il fiche en l'air ma vie amoureuse !

Elle s'arrêta et souffla une bulle qui claqua avec un bruit satisfaisant.

– Je n'en reviens pas. Carter McLean m'invite enfin à sortir, et je ne peux pas y aller.

– C., remettons les choses en perspective, lui conseilla Hudson en caressant la tête blanche de Sid Vicious. Il t'a invitée à le rejoindre chez *Serafina* avec toute une bande. Ce n'est pas un rencard.

– Mais ça aurait pu ! répliqua Carina en pointant le doigt vers elle. On aurait pu finir la soirée chez lui, ou chez moi, et puis les gens seraient rentrés chez eux, et on se serait retrouvés seuls, on aurait regardé un peu la télé, il m'aurait embrassée, et là, ç'aurait été un rendez-vous amoureux. Et maintenant, rien de tout ça ne peut arriver.

Ses amies la fixaient comme si elle avait soudain deux têtes.

– Et personne ne t'aimera jamais, conclut Lizzie.

Carina la fusilla du regard.

Hudson se pencha sur le lit pour fouiller dans son sac de classe.

88

– Eh bien vas-y, sors ce soir. Amuse-toi. Tu me rembourseras lundi.

Carina regarda le billet de vingt dollars qu'elle avait pris dans son porte-monnaie et secoua la tête.

– C'est adorable, H., mais je ne vais pas te prendre ton argent. Je me débrouillerai toute seule. Il le faut. Bien qu'il me reste exactement un dollar cinquante.

– Mais tu n'as pris qu'un déjeuner et une glace, fit remarquer Lizzie en remontant ses cheveux en un chignon qu'elle fixa avec un crayon. Comment est-ce possible ?

– Sophie et Jill ont demandé à tout le monde de faire un don en SVT, lui expliqua Carina.

– Tu as donné de l'argent à Sophie et à Jill ?

– C'était pour la pureté de l'air ! Il fallait bien que je donne quelque chose !

– Bon, voyons ces billets d'avion, dit Lizzie d'un air las en se retournant vers son ordi. Ouh ! Celui que prennent tous les autres est à onze cents dollars.

– Génial, ronchonna Carina.

– Mais je vois quelque chose, là. Il y a un vol sur Budget Air. Une escale à Londres. Et une à Francfort. Et après Zurich, tu prends un petit coucou...

– C'est combien ?

– Sept cents dollars. En classe éco. Sans place assurée.

– Sept cents dollars, plus deux cents pour les remontées mécaniques, ça fait neuf cents. Et il me faudra encore de l'argent pour prendre un taxi depuis l'aéroport, et sortir le soir, et manger le jour...

Elle s'assit au bord du lit, perdue dans ses réflexions.

– Ça fait au moins mille dollars.

Elle en avait la migraine, à force de retourner le problème dans tous les sens.

– Tu devrais peut-être simplement dire à Carter que tu ne peux pas, suggéra Hudson en lui touchant le poignet.

– Oui, C., renchérit Lizzie en se laissant tomber sur le lit. Tu auras d'autres occasions de passer du temps avec Carter McLean. Est-ce que tu as demandé à ton père si tu pouvais partir, au moins ?

Carina eut un rire sans joie.

– Je n'ai pas besoin de sa permission. Et de toute manière, il serait sans doute enchanté d'être débarrassé de moi pendant quelques semaines.

– Personnellement, je pense que tu devrais t'épargner tout ce stress, dit Lizzie. Ce voyage n'est pas si important.

– Mais si, répondit lentement Carina en tâchant de ne pas élever la voix. Si je n'y vais pas, je donne raison au Jurg. Je lui prouve qu'il contrôle totalement ma vie.

– Euh... c'est un peu le cas, dit doucement Lizzie en tripotant un exemplaire corné de *Gatsby le Magnifique*. Mes parents aussi me contrôlent par l'argent. Comme tous les parents.

– Oui, les miens aussi, murmura Hudson.

Carina et Lizzie la regardèrent.

– Quoi ? demanda-t-elle innocemment.

– Une fois que ton album sera sorti, tu n'auras plus jamais à te soucier de ton argent de poche, lui dit durement Carina. (Elle soupira en contemplant le mur bleu ciel.) Voyons les choses en face, les amies. Je suis foutue.

– Et si tu travaillais ? suggéra Lizzie en se redressant sur ses avant-bras. Ce n'est pas la solution évidente ?

– Mais oui, un job ! l'approuva Hudson, soudain si

enthousiaste que Sid Vicious sauta de ses genoux. Tu as déjà de l'expérience, en plus !

Carina regarda le chat blanc se rouler en boule au pied du lit.

– Dans la boîte de mon père ? Vous rigolez ? Il ne risque pas de m'embaucher. Et encore moins de me payer.

– Je pensais plutôt à un job chez Gap, rectifia Hudson.

– Ou chez Old Navy, ajouta Lizzie.

– Ils ne prennent pas les moins de seize ans, rétorqua Carina.

Elle y avait déjà pensé.

– Il doit bien y avoir quelqu'un quelque part qui a besoin de bras pour préparer Noël et qui serait prêt à prendre une employée un peu jeune, l'encouragea Hudson en enroulant une mèche noire autour de son pouce. Que dis-tu de toutes les petites boutiques qu'on connaît dans l'Upper East Side, à côté du lycée ? La confiserie, par exemple ?

– Peut-être.

L'idée n'était pas mauvaise. Carina se leva et prit son sac.

– Je vais étudier la question. Qui veut qu'on se retrouve demain pour prendre le métro ensemble ?

– Tiens bon, C. ! dit Lizzie en se levant pour l'embrasser. On sera toujours là.

– Et Carter aussi, ajouta Hudson avec assurance. Et puis en restant chez toi ce soir, tu gardes ton mystère.

Tout en prenant congé de ses amies, Carina se demanda si elles avaient raison. Peut-être devrait-elle renoncer à Carter McLean et à son beau rêve de romance alpestre. Mais à ce moment-là, l'idée lui faisait le même effet que renoncer à elle-même.

Chapitre 7

Ce soir-là, Carina resta vautrée sur le canapé de cuir de la pièce télé, qui se trouvait juste à côté du bureau du Jurg, à regarder *Real Housewives*. Elle avait beau se répéter qu'ainsi elle gardait tout son mystère, cela ne marchait pas. Toutes les cellules de son corps lui criaient qu'elle aurait voulu se trouver chez *Serafina*, aux côtés de Carter, riant et blaguant avec lui en partageant une pizza margherita et du tiramisu. Elle les voyait tous d'ici, s'amusant comme des fous, évoquant les futures vacances au ski, et Carter tellement mignon avec un peu de gel dans les cheveux et une chemise bleue à carreaux, un peu chiffonnée...

Elle tendit la main vers son MacBook Air et toucha le clavier. La page Facebook de Carter apparut à l'écran. Retenant son souffle, elle déplaça le curseur vers le bouton « ajouter Carter à la liste de vos amis », mais juste avant de cliquer, elle s'abstint. Après tout, la situation n'était pas si désespérée, se dit-elle en reposant l'ordinateur par terre. Lizzie avait raison. Elle aurait bien d'autres occasions de le voir. Du moins, elle l'espérait.

– Carina ? Nikita t'a préparé à dîner ?

Le Jurg se tenait à la porte, en chemise et cravate, les cheveux mouillés car il venait de se doucher après sa partie de squash. Le vendredi soir, quand ils n'allaient pas à Montauk parce qu'il travaillait tard, il aimait faire une partie dans son club avec d'autres maîtres du monde. Comme si cela ne lui suffisait pas de jouer les mâles dominants toute la journée au bureau.

– Ouais, j'ai mangé des pâtes, répondit-elle d'un ton morose.

C'était la première fois qu'elle le revoyait depuis qu'elle avait claqué la porte la veille au soir, et elle ne voulait pas se montrer trop aimable.

– Tu as passé une bonne journée ? demanda-t-il.

La question avait réellement l'air de l'intéresser.

– Oui, dit-elle sans lever le nez de la télé.

Va-t'en, pensait-elle. *Barre-toi, c'est tout.*

– Tant mieux, insista-t-il maladroitement en s'appuyant au chambranle. Marco t'a dit que je pars pour Londres tout à l'heure ?

– Mmm.

– Je rentre lundi.

– Super, marmonna-t-elle.

Il fit un pas dans la pièce.

– À propos de notre discussion d'hier soir... Carina, tu veux bien me regarder ?

Elle détourna un instant les yeux de la télé. *Il va peut-être s'excuser*, songea-t-elle. Peut-être voulait-il lui annoncer que la punition ne durerait que quelques jours, jusqu'à ce qu'elle ait compris la leçon.

– La MetroCard que je t'ai donnée n'est valable que

quelques semaines, poursuivit-il en plongeant la main dans sa poche. Celle-ci est mensuelle.

Il sortit une autre carte jaune qu'il posa sur une console.

– À la fin du mois, viens me voir et je te la ferai renouveler.

Elle resta parfaitement immobile sur le canapé, trop abasourdie pour dire un mot. Une autre carte ? Pour le *mois* suivant ?

– Mmm, OK, lâcha-t-elle en se retournant vers la télévision.

Elle était tellement furieuse qu'elle sentait presque son sang bouillir. Son père vint se placer devant le canapé.

– Carina, dit-il d'une voix plus pressante. Je tiens à ce que tu saches que c'est pour ton b...

– J'ai pigé, le coupa-t-elle. Bon week-...

Elle fut elle-même interrompue par une sonnerie. C'était le BlackBerry du Jurg.

– Oui ? répondit-il en lui tournant le dos et en se rapprochant de la porte. Non. Dites-lui d'attendre. Je serai là demain matin.

Il sortit de la pièce et, un instant plus tard, Carina l'entendit monter l'escalier. Elle attrapa un coussin en daim couleur moka sous sa tête et le jeta contre la porte. Raté : au lieu de cela, elle dégomma une photo encadrée de son père avec Richard Branson, qui dégringola à grand bruit.

Donc, l'expérience n'allait pas durer qu'une semaine. Elle se prolongerait jusqu'à la fin de l'année. Conclusion : si Carina voulait avoir une chance de connaître l'amour avec Carter McLean, il lui fallait un job. Point final.

Soudain, une sonnerie tonitruante lui vrilla les tympans.

95

C'était le téléphone au panda, qui traînait par terre à côté de l'ordinateur. Le numéro qui s'afficha sur l'écran commençait par 808. L'indicatif d'Hawaï. Sa mère.

– Allô ?

Le son était mauvais, mais la voix de Mimi s'éleva, apaisante comme le miel.

– Salut ma chérie, c'est moi ! J'ai vu que tu avais cherché à me joindre il y a quelques jours, je voulais te rappeler plus tôt... Comment ça va, mon cœur ?

Par où commencer ?

– Ça va. J'ai passé une semaine un peu folle. Papa et moi, on s'est disputés, et...

– Il paraît, oui, mais je croyais que c'était réglé. Mon avocate n'est pas venue vous voir ?

– Si, si, c'était super, mais après il s'est passé quelque chose...

Il y eut un léger bip sur la ligne. Le double appel.

– Oh, chérie, désolée mais il faut que je réponde, c'est un journaliste du *Condé Nast Traveler* qui fait un article sur ma salle de yoga. Je peux te rappeler plus tard ?

Carina tortillait une mèche de cheveux autour de son doigt.

– Bien sûr, pas de problème.

– En fait, il est déjà tard, ici. J'essaierai demain. Dors bien, mon cœur. Je voudrais être là pour te border dans ton lit.

Une boule se formait lentement dans la gorge de Carina.

– Moi aussi, j'aimerais bien.

– Bye, ma chérie.

– Bye.

Elle jeta le téléphone au loin. Des larmes brûlantes lui montaient aux yeux, mais elle les ravala. D'accord, sa mère n'avait pas beaucoup de temps à lui consacrer. Et alors ? Ce n'était pas sa faute si un magazine voulait l'interviewer.

Mais Carina fut de nouveau traversée par une sensation familière. La sensation qui lui venait de temps en temps depuis ses dix ans : sa poitrine se serrait, sa bouche s'asséchait, et elle était submergée par une nostalgie terrible. C'était comme déambuler dans une ville fantôme qu'elle aurait connue vivante autrefois. Parler avec sa mère lui faisait parfois cet effet. Chaque fois qu'elle ressentait cela, elle avait besoin de se distraire le plus vite possible. Elle attrapa donc la balle antistress sur la table basse et la malaxa en réfléchissant.

Il lui fallait un job. C'était la seule chose qui comptait dans l'immédiat. Et dès le lendemain, elle en trouverait un.

Chapitre 8

– Mais as-tu déjà travaillé comme *barista* ?

La fille aux cheveux roses, probablement étudiante, qui se tenait derrière le comptoir scrutait attentivement Carina en haussant son sourcil orné d'un piercing, d'un air nettement dubitatif. Carina sentait bien que derrière elle, dans la queue, les clients commençaient à s'impatienter.

– Pas tout à fait, dit-elle enfin. Mais je pense que le temps passé à observer, ça compte, et là j'ai beaucoup d'expérience. Et je suis sûre qu'une fois derrière le comptoir je prendrai le coup tout de suite.

La fille aux cheveux roses regarda le type tatoué qui s'affairait devant le percolateur et soupira.

– Attends, dit-elle d'un air vaincu. Je vais chercher le manager.

Puis elle se pencha pour s'adresser à la personne qui se tenait derrière Carina.

– Je peux prendre votre commande ?

Carina s'écarta et alla se ranger à côté d'une vitrine pleine de grains de café enrobés de chocolat. Elle avait les pieds en compote, le bout du nez engourdi par le froid et l'estomac gargouillant de faim. Jusque-là, sa recherche d'emploi était un échec complet. Elle avait d'abord proposé ses services dans une minuscule librairie, à l'angle de la 75e Rue et de Lexington Avenue, où le patron lui avait ri au nez. Puis elle avait essayé une boutique de vêtements de l'autre côté de la rue, où la caissière s'était contentée de secouer la tête avant de se remettre à bavarder dans son portable. Enfin, elle était entrée dans une boutique de jouets, où les hordes de gamins hurlants et leurs parents hagards l'avaient fait partir en courant.

Le café *Java Mama* ne s'annonçait pas beaucoup plus prometteur. L'employée aux cheveux roses était visiblement épuisée et débordée, et le tatoué au visage revêche semblait totalement absorbé par le percolateur. D'ailleurs, le seul fait de regarder la file de mamans yoga aux nerfs tendus, enchaînées à des poussettes énormes et commandant des demi-décaféinés au lait écrémé, la fatiguait d'avance. Presque toutes ces femmes avaient un sac à couches en cuir de grand couturier accroché à l'épaule. Comment les gens se payaient-ils des choses pareilles ? Et comment n'avait-elle jamais remarqué à quel point tout le monde était riche dans ce quartier ?

Au bout de quelques minutes de plus passées à regarder l'employée prendre les commandes, Carina décida qu'elle avait terminé de chercher du boulot pour la journée. Le canapé de son père l'appelait, ainsi que son frigo.

Elle arrivait à la porte lorsqu'une fille de son âge faillit la renverser en entrant, chargée de trois énormes sacs de shopping. Carina aperçut des boucles auburn, un manteau Searle gris argent et un bonnet tricoté à cornes de diable, et se dit que son moral touchait le fond. C'était Ava.

– Oh, pardon ! souffla cette dernière en rassemblant ses sacs.

Lorsqu'elle vit qui elle avait percuté, son sourire s'évanouit.

– Tiens, bonjour, dit-elle froidement en redressant son bonnet. Désolée. Qu'est-ce que tu fais là ?

– Pas grand-chose. Comment ça se passe, la préparation du bal ?

Carina se rapprocha d'Ava pour laisser passer une poussette, et faillit être suffoquée par son parfum Ralph Lauren.

– Très bien. Je sors d'une réunion du comité de pilotage. C'était trooop sympa, roucoula Ava d'un air entendu. Dommage que tu n'aies pas voulu y participer.

Elle retira son bonnet de diable et secoua sa crinière luxuriante. On aurait dit une publicité pour le shampooing.

– Tu n'achètes rien ?

– Quoi ? fit Carina.

– À boire.

– Hé, toi !

Carina fit volte-face et vit la fille aux cheveux roses flanquée d'un gros homme dégarni en blouse de cuistot, derrière le comptoir.

– Tu veux toujours parler au manager ? lui demanda la fille en le montrant du pouce.

– Non non, ça ne fait rien !

– Pourquoi tu voulais parler au manager ? s'enquit Ava. Il y a eu un problème avec ta commande ?

Elle leva une main pour jouer avec son pendentif en diamants, histoire d'exhiber ses ongles impeccablement peints d'un motif zèbre.

– En fait, j'étais là pour mon père, improvisa Carina. Il

101

invite des gens des médias à prendre le thé chez nous, et je suis venu voir s'ils pouvaient nous fournir en boissons et gâteaux.

Elle n'en revenait pas qu'une histoire pareille soit sortie toute seule de sa tête.

Ava plissa les paupières.

– Ah oui ?

– Oui, mais maintenant que j'y pense, ce n'est pas vraiment à la hauteur, continua Carina avec condescendance en regardant autour d'elle. Je ferais sans doute mieux d'aller chez *Serendipity*. Ou bien chez *Sant Ambroeus*. Un endroit un peu plus classe.

– Alors comme ça, tu aides ton père à organiser ses réceptions ? s'enquit Ava d'un air réellement intéressé.

– Bah oui, souvent. Depuis le temps que je vois ses employés le faire, je sais comment m'y prendre.

Elle jeta un coup d'œil discret par-dessus son épaule. Le manager était toujours derrière le comptoir. Elle fit semblant de ne pas le voir.

– Tu dois avoir beaucoup de relations, dis donc, commenta Ava, tripotant toujours son « A » en diamants. Les meilleurs traiteurs, les meilleurs fleuristes, les meilleurs DJ, tout ça, n'est-ce pas ?

– Bien sûr. Mon père et moi ne traitons qu'avec la crème de la crème. Tu sais ce que c'est.

Ava croisa les bras et recula la poitrine. Carina s'attendait un peu à la voir éclater de rire, mais non, son expression était parfaitement sérieuse.

– Ça te dirait de te charger de mon gala ? demanda-t-elle alors.

– Hein ?

Carina n'était pas certaine d'avoir bien entendu au milieu des hurlements des bébés.

– Tu veux dire le gala du Flocon de neige ? Ce n'est pas toi qui t'en occupes ?

– Oh non, Dieu merci, je ne fais que les invitations.

Ava soupira et sortit un carnet en cuir de son sac noir Hervé Chapelier.

– Là-dedans, j'ai la liste de tous les collégiens, externes *et* internes, de Manhattan, et bien sûr c'est moi qui décide de qui vient ou pas, tu vois ce que je veux dire ?

Elle ouvrit le carnet, montra une liste de noms serrés sur la première page, et le referma.

– Alors tu penses, je suis débordée. Et pour tout le reste – le DJ, le traiteur, la déco –, il me faut quelqu'un. Pourquoi pas toi ?

Carina réfléchit rapidement. Voilà qui pourrait faire un bon job. À condition de persuader Ava de la payer.

– Je suis très prise par les affaires de mon père en ce moment. Mais si c'était payé, ça changerait la donne.

Elle retint son souffle et attendit.

Ava ne cilla pas.

– Combien ?

– Traiteur, DJ, déco, la supervision de l'ensemble... (Carina regarda dans le vide et fit semblant de calculer.) Mille dollars.

Le sourcil gauche d'Ava s'arrondit.

– *Mille* ?

Carina déglutit.

– Mmm... oui.

103

De ses dents blanches et nacrées, Ava se mordilla la lèvre inférieure.

– Voyons... L'organisation de charité m'a laissé entendre qu'elle avait un certain budget. Et cela vaudrait vraiment la peine de t'embaucher pour tout organiser, vu tes relations et tout.

– Et l'avance de trésorerie ? demanda Carina avant de risquer de se dégonfler.

– Qu'est-ce que c'est que ça ? fit Ava, soudain méfiante.

– C'est comme ça qu'on fait. Tu donnes une partie de l'argent au départ pour que l'organisatrice puisse réserver les services. Je crois que vingt pour cent, c'est ce qui se pratique. Donc, dans notre cas, deux cents dollars.

Elle ignorait totalement si c'était ainsi qu'on procédait, mais cela valait la peine de tenter. Elle avait besoin d'argent, et vite, pour les remontées mécaniques.

Ava haussa les épaules.

– Très bien, tu les auras lundi.

– OK, super !

Carina tâchait de cacher sa stupéfaction.

– Cool, lâcha légèrement Ava en la bousculant pour s'approcher du comptoir. Je pense qu'à nous deux on va rendre cette fête mémorable, et digne du *Times*. À lundi !

Elle se plaça dans la file d'attente et Carina exécuta une discrète petite danse de victoire en sortant. Elle avait réussi ! Elle avait décroché un job ! Et non seulement ce serait l'argent le plus facilement gagné de sa vie – surtout qu'elle n'avait jamais gagné d'argent de sa vie –, mais en plus, elle partirait finalement avec Carter ! Bon, d'accord, elle n'avait aucune expérience. Mais elle apprendrait ! Il lui suffisait de prendre rendez-vous avec un professionnel et de se faire refiler quelques tuyaux. Et elle savait déjà qui appeler : Roberta Baron, la femme à tout faire de son père pour toutes ses réceptions, la *party planner* la plus en vue de New York. Roberta avait organisé tant de fêtes pour le Jurg qu'elle faisait pratiquement partie de la famille. Elle serait ravie de répondre à ses questions. Et Carina l'avait vue en action : son job n'avait pas l'air bien sorcier. Cela consistait à dire aux gens où mettre les fleurs, houspiller les traiteurs, veiller à ce que l'orchestre s'abstienne de jouer du Earth, Wind & Fire. Facile !

Elle prit son téléphone, tenta d'oublier le joyeux panda et appela les renseignements. En temps normal, elle aurait simplement googlé Roberta, mais que voulez-vous, son père l'obligeait à vivre à l'âge de pierre.

– Roberta Baron, je vous prie. De l'agence Roberta Événementiel.

Elle ne remarquait même plus le vent glacé qui soulevait ses cheveux et lui brûlait les joues.

Je suis de retour, pensa-t-elle en se dirigeant vers le métro. *C'est mon grand come-back.*

Chapitre 9

Elle gravit quatre à quatre les marches couvertes d'un épais tapis rouge, dépassa le portier en livrée grise et franchit d'un pas léger la rutilante porte à tambour du *Plaza*. Son plan se déroulait encore mieux que prévu. Elle avait laissé à Roberta un message sans queue ni tête lui disant qu'elles devaient parler affaires, et la femme lui avait renvoyé un texto deux minutes plus tard pour lui donner rendez-vous sur-le-champ : *Palm Court, hôtel Plaza, seize heures*. C'était le pouvoir du nom des Jurgensen, avait-elle songé en rangeant son téléphone dans son sac Botkier et en prenant vers l'ouest sur la 57e Rue. On vous répondait toujours, même le samedi.

Elle se hâta de traverser le calme hall de marbre, et une foule de souvenirs lui revint en tête. C'était là qu'elle était venue avec sa mère, le jour où elles avaient quitté son père. Elles avaient pris une suite single avec un grand lit *king size* en plume et une vue à couper le souffle sur Central Park. Pendant cinq jours, sa mère avait pleuré dans la salle de bains et son père avait passé des coups de fil menaçants. La psy de sa mère, le docteur Carla, était venue faire quelques séances en urgence. C'était bizarre de se retrouver ainsi en pleine tragédie, mais elle avait adoré l'endroit. Mère et fille s'étaient fait servir leurs repas dans la chambre par un valet à gants blancs nommé Godfrey, avaient fait de longues promenades gelées dans Central Park en faisant crisser la neige sous leurs pieds, et un soir, elles s'étaient même incrustées à une fête dans l'un des salons de réception privés. Le meilleur de tout, c'est que sa mère avait appelé l'école tous les matins en disant qu'elle était malade, simplement pour que Carina puisse rester à l'hôtel lui tenir compagnie.

Quand le Jurg s'était finalement montré, c'était accompagné d'un agent de police et d'un avocat, qui avaient tous deux menacé Mimi de l'arrêter si elle ne laissait pas Carina rentrer à la maison. Cela n'avait pas étonné Carina ni sa mère. Elles s'étaient dit au revoir dans la chambre. À présent, en traversant le hall, en passant devant les boutiques discrètement éclairées et les touristes au pas lent, elle se remémorait l'odeur du shampooing à la menthe dans les cheveux blonds de sa mère, la caresse de ses mains semées de taches de son, et éprouva de nouveau cette tension dans sa poitrine. Quatre ans plus tôt, elle était rentrée chez elle avec son père en pensant qu'elle n'avait pas le choix. Désormais, elle se demandait si elle l'avait eu. Si elle était plutôt rentrée avec sa mère, au moins aurait-elle eu un parent pour se soucier d'elle. Là, elle n'en avait aucun.

Carina prit un virage et entra dans le *Palm Court*, un vaste patio garni de tables à nappes de lin rose et bordé de palmiers en pot.

– Excusez-moi, que puis-je faire pour vous ? demanda l'hôtesse squelettique qui occupait une petite estrade.

– J'ai rendez-vous ici. Avec Roberta Baron.

– Oh, par ici, dit l'hôtesse en lui faisant signe de la suivre.

Elles passèrent devant des vieilles dames très chics, en robe et collier de perles, qui prenaient le thé dans des tasses en porcelaine et grignotaient de minuscules sandwichs au pain de mie, sans croûte bien sûr. Carina sentit son moral remonter en flèche. La décoration était chargée, mais un peu de luxe était exactement ce qu'il lui fallait en ce moment.

Roberta attendait à une table dans le coin, penchée sur son BlackBerry, en sirotant un verre d'eau glacée. Avec son casque de cheveux roux flamboyants, elle semblait sortir de chez le coiffeur, et ses poignets osseux étaient ornés de bracelets en or incrustés de pierreries. Un gros diamant jaune brillait à son doigt. S'il existait une personne tout indiquée pour lui expliquer les ficelles de l'organisation d'événements, se dit Carina, c'était bien elle.

– Carina, ma chérie ! dit-elle en se levant pour l'embrasser chaleureusement.

Un léger parfum de citron imprégnait son twin-set en cachemire beige ultradoux et, à n'en pas douter, ultracher.

– Quelle bonne surprise ! poursuivit-elle. Comment vas-tu, ma grande ?

– Très bien, très bien. Merci d'avoir bien voulu me voir.

– Je t'en prie, assieds-toi, dit Roberta qui se tourna alors vers l'hôtesse. Pourriez-vous dire à notre serveur que nous prendrons le thé anglais complet, sans crème ? Et *surtout* pas de cresson ni de lait, rien que du citron. Avec une assiette de gingembre confit. Et que ça ne traîne pas.

109

L'hôtesse hocha la tête, l'air légèrement excédé, et s'éloigna.

– Alors, ma chérie. Je suis ravie que tu m'aies appelée, je pensais justement à toi, dit Roberta en fixant son regard bleu glacier sur Carina.

Elle devait avoir presque soixante ans, et pourtant son visage pâle était incroyablement lisse.

– Si tu prévois une fête pour tes seize ans, il faut vraiment que tu commences à réfléchir au lieu. Les meilleurs sont réservés un an à l'avance. Que dirais-tu de l'University Club ?

– En fait, c'est moi qui voulais vous poser quelques questions, dit Carina en suivant du bout du doigt le contour de son verre d'eau. Sur votre travail.

Le visage de Roberta se relâcha complètement, comme si elle s'efforçait de ne trahir aucune expression.

– On m'a demandé d'organiser le gala du Flocon de neige cette année, poursuivit-elle en s'appuyant sur ses coudes pour se pencher en avant. C'est un bal d'écoles privées, très sélect, et...

– Je sais ce que c'est, la coupa Roberta d'un ton cassant.

– Alors, euh... Comme c'est la première fois que j'organise une soirée, je me suis dit que je pourrais vous demander, à vous, la reine de l'événementiel à New York, de me donner quelques tuyaux.

– Des tuyaux ? répéta Roberta comme si, soudain, elle ne comprenait plus la langue.

De minuscules ridules étaient apparues entre ses sourcils.

– Oui, vous voyez, je connais les grandes lignes : vous supervisez un peu tout, vous dites aux gens où poser le matériel, vous leur criez dessus quand ça ne va pas, mais je suis certaine que ce n'est pas tout. Si vous pouviez me montrer les ficelles, en quelque sorte...

– Alors ce n'est pas pour le travail que tu m'as fait venir ici ?

Les sourcils de Roberta se rapprochaient dangereusement de la racine de ses cheveux.

– Oh non, pas du tout ! Je voulais juste quelques conseils.

La femme pinça les lèvres, si fort qu'elles se réduisirent à une petite tache rose.

– J'ai déplacé un rendez-vous pour venir te voir, Carina, dit-elle d'une voix glaciale. Je croyais que tu voulais me demander de t'organiser une fête.

– Ah... Je vous ai dit que je voulais parler affaires...

– C'est bien pour cela que j'ai cru qu'il s'agissait d'une réception pour toi ou ton père, pas d'un bal d'écoliers.

On entendit alors un grincement de roulettes et un cliquettement d'argenterie, et Carina, levant la tête, vit un serveur en veste blanche apporter leur thé sur un chariot. Dessus était posée la plus énorme théière en argent qu'elle ait jamais vue, ainsi que des tasses et soucoupes de porcelaine blanche bordée d'or, plusieurs assiettes de biscuits, et un présentoir à trois étages portant tout un assortiment de petits fours.

– Ouah, ça m'a l'air délicieux ! s'enthousiasma Carina pendant que le serveur commençait à servir le thé.

Mais Roberta n'eut même pas un regard pour la nourriture. Au contraire, elle repoussa sa chaise.

– Tu veux bien qu'on en reparle une autre fois ? J'ai plus important à faire aujourd'hui.

Elle passa impatiemment son sac Chanel couleur crème sur son épaule.

– Euh... Si vous voulez, balbutia Carina. Mais vous ne voulez rien manger ?

Roberta eut un geste de dédain en direction du chariot.

– Dis à ton père que nous devons absolument parler de ce qu'il veut faire pour les fêtes de fin d'année. Tout le monde a déjà fait imprimer ses cartons d'invitation. Au revoir, Carina.

Sur ces mots, elle se drapa dans son châle en cachemire, pivota sur les talons aiguilles de ses bottes Jimmy Choo et se dirigea à grands pas vers la sortie.

Carina la regarda s'éloigner, totalement abasourdie. Que venait-il de se passer ? Pourquoi Roberta lui en voulait-elle tant ? Ou en tout cas, pourquoi l'avait-elle envoyée promener de la sorte ?

– Est-ce que tout va bien ?

L'hôtesse squelettique se penchait au-dessus de la table avec un éblouissant sourire factice.

– Oui, oui. Mon amie a dû partir plus tôt que prévu.

– Alors vous avez terminé ? s'enquit la femme avec une joie non dissimulée.

– Voilà, c'est ça.

– Je demande au serveur de vous apporter l'addition.

L'addition. Carina lorgna les piles intactes de petits fours et de biscuits, l'énorme théière, les petits pots de beurre et de confiture. Puis elle se rappela que Roberta n'était plus là. Elle allait donc devoir payer.

Son cœur se mit à tambouriner dans sa poitrine, comme si elle se préparait à sauter d'un avion. Elle ignorait absolument comment elle allait s'en sortir. D'autant plus que c'était sans doute le thé le plus cher de la planète.

Le serveur s'approcha d'un pas glissant et déposa l'addition sur la table.

– Tout se passe comme vous voulez, mademoiselle ?

– Très bien.

Elle osait à peine le regarder.

Carina attendit qu'il soit parti, puis, en retenant son souffle, ouvrit le petit livret de cuir qui contenait la note.

1 thé anglais complet 75 $

Elle déglutit avec difficulté et referma brutalement le livret. Que faire ? Elle connaissait des jeunes qui étaient déjà partis sans payer, mais ils avaient fait cela dans des gargotes de la 1re Avenue, du côté du téléphérique de Roosevelt Island, juste pour s'amuser. Là, il s'agissait d'un palace, du *Plaza* ! Les gens qui tentaient le coup se faisaient sûrement arrêter. Pourtant, dans l'immédiat, elle ne voyait pas d'autre solution.

Lentement, elle se retourna. Le restaurant semblait se vider. L'hôtesse était à une autre table, occupée à parlementer avec la mère de trois enfants turbulents qui s'étaient lancés dans une bataille de miniquiches. Carina attrapa son sac par terre. C'était le moment où jamais.

Elle se leva et marcha calmement vers la sortie. Si on lui demandait où elle allait, elle répondrait « aux toilettes ». Simple. Tout en louvoyant entre les tables, elle crut sentir les yeux de l'hôtesse lui forer le dos tels des rayons laser. D'un instant à l'autre, celle-ci verrait Carina et lui demanderait de s'arrêter. D'un instant à l'autre...

– Excusez-moi, s'écria une femme. Vous partez ?

Carina dépassa l'estrade déserte.

– Excusez-moi ? C'est à vous que je parle !

C'était bien l'hôtesse.

Il était temps de prendre ses jambes à son cou.

Elle dépassa comme une flèche les boutiques de luxe, la réception, un troupeau de touristes japonais qui la regardèrent, étonnés et amusés, comme si elle était une attraction new-yorkaise. Du coin de l'œil, elle aperçut un employé qui décrochait son téléphone, mais elle s'en fichait. Elle poussa la lourde porte à tambour, dévala les marches tapissées de rouge. Une fois dehors, elle ne s'arrêta pas et zigzagua à travers la 59ᵉ Rue jusqu'à atteindre la file de calèches qui attendaient le touriste dans Central Park. Là, elle se cacha derrière un gros cheval blanc, dans l'odeur du crottin. Penchée en avant, elle reprit son souffle. Elle voyait déjà les gros titres du *New York Post* : LA FILLE DU MILLIARDAIRE FILE À L'ANGLAISE POUR NE PAS PAYER SON THÉ.

Elle finit par se redresser. Sa gorge la brûlait, et elle était trempée de sueur sous son col roulé. Alors comme ça, elle ne pouvait pas compter sur Roberta. Très bien. Elle n'avait pas besoin de son aide. Elle allait rentrer chez elle et trouver un plan B pour le gala d'Ava. Elle allait devoir improviser.

Elle inspira à fond et rejoignit la station de métro. C'est seulement une fois sur le quai qu'elle prit conscience d'un point crucial. Elle n'avait pas mangé.

Chapitre 10

– Félicitations, C. ! dit Lizzie. En acceptant ce job, tu t'es peut-être bien punie encore plus fort que ton père n'aurait pu le faire.

Affalée dans le fauteuil orange mité du foyer des élèves, elle touillait son café instantané avec un stylo.

– Est-ce que tu as demandé chez Gap, au moins ? s'enquit Hudson en levant les yeux de la partition posée devant elle. Et chez Jamba Juice ? Ou alors du baby-sitting ? Ma cousine se plaint toujours que sa nounou parte en vacances...

– Les filles, *on se calme* ! protesta Carina tout en sortant de son sac un poème d'amour d'e. e. cummings. (Encore une dédicace spéciale pour Ed le Fourmilier.) Je vais gagner mille dollars – assez pour partir au ski. Et tout ça en organi-sant une soirée ! Ce sera marrant, en plus.

Au bas de la page, elle écrivit en grandes lettres capi-tales : JE BRÛLE D'EMBRASSER TA CALVITIE.

Lizzie faillit en renverser son café.

– *Marrant* ? Se taper Ava à tout instant pendant les six semaines à venir ? Je n'appelle pas ça « marrant ». J'appelle ça « l'autoroute pour l'HP ».

115

– Et puis tu n'as aucune expérience, C., souffla Hudson en triturant ses bagues.

– Pas besoin d'être un génie pour organiser une fête, argua Carina en repliant sa missive et en la glissant dans son cahier de SVT. Il suffit de trouver les bonnes personnes et de leur donner des ordres. J'ai déjà vu faire.

Elle avait décidé de passer sous silence son rendez-vous raté avec Roberta Baron. À jamais.

– Carina, on ne fait que..., commença Hudson.

– Vous inquiéter pour moi, je sais. Mais évitez. Il n'y a pas de problème, j'y arriverai, c'est dans mes cordes.

Elle se baissa pour prendre son livre d'espagnol tout en sachant que, pendant ce temps, les deux autres échangeaient des regards tragiques et épouvantés au-dessus de sa tête.

Ce n'était pas juste. Elle était toujours la première à soutenir les projets les plus fous de ses copines. La carrière secrète de Lizzie dans le mannequinat, par exemple. Sans Carina, jamais elles ne seraient montées voir Andrea dans son atelier. Elle avait même signé l'autorisation pour son amie. (Bon, d'accord, elle avait dû pour cela imiter l'écriture de sa mère. Mais justement.)

Et maintenant qu'il s'agissait de son projet fou, à elle, Lizzie et Hudson ne savaient que couper les cheveux en quatre ou lui donner l'impression que cela ne marcherait jamais. Elles n'auraient pas pu l'encourager un peu ? Carina baissa les yeux sur son livre et tenta de se concentrer, mais un puissant effluve de parfum l'obligea à relever la tête.

– Dis donc, C., on peut se voir une minute ?

116

Ava la dominait de sa hauteur, son carnet de cuir coincé sous le bras, un stylo plume Tiffany en argent à la main. Jamais Carina ne saurait égaler son allure professionnelle.

– J'aimerais revoir quelques détails avec toi, poursuivit-elle en jetant un coup d'œil à sa grosse montre Cartier, également en argent. Histoire de bien commencer.

– Bien sûr !

Carina allait se lever, mais Ava s'assit à côté d'elle sur la moquette.

– Quand j'ai dit au comité d'organisation que c'était toi qui allais préparer le gala, ils n'en sont pas revenus, lui apprit-elle en coinçant une mèche auburn derrière son oreille. Avec toutes tes relations, tu comprends...

– Tant mieux, lança fièrement Carina non sans jeter un coup d'œil à Lizzie et à Hudson.

Mais toutes deux étaient trop occupées à fixer la nuque d'Ava pour le remarquer. Celle-ci ouvrit son carnet.

– Bien ! J'ai fait trois catégories. Le traiteur, la musique et la déco. Je pense que le mieux, c'est que je te dise ce que moi, je veux. Ça te donnera une base de travail.

– Parfait.

Pendant qu'Ava feuilletait son carnet, Carina remarqua que ses ongles étaient, aujourd'hui, d'un noir violacé.

– Alors. Le gala aura lieu dans la salle de bal de l'hôtel *Pierre*. L'acoustique y est extraordinaire. Ce qui m'amène au point le plus important. La musique. (Elle considéra Carina avec un air extrêmement sérieux.) La musique peut faire tout le succès d'une soirée, ou la plomber complètement. Je crois que là, il faut viser très haut. Le top. Matty Banks.

Matty Banks n'était pas un simple DJ. Il était aussi producteur (et détenteur de plusieurs Grammy Awards), mannequin, lanceur de tendances et, *grosso modo*, c'était le mec de vingt-deux ans le plus branché de la terre. Bien sûr, il demandait des milliers de dollars pour ses prestations.

– Matty Banks ? Tu crois, vraiment ?

– Tu as déjà eu recours à lui, non ?

– Si, bien sûr, c'est lui qui a mixé pour l'anniversaire de mon père l'an dernier. Mais je ne sais pas s'il sera libre. Il est hypersollicité.

– Même pour *toi* ?

– Comment ça, pour moi ?

– Mais enfin, c'est toi qui le lui demanderas. Tu disais toi-même que tu ne travaillais qu'avec les meilleurs.

Carina comprit soudain où voulait en venir Ava. Ce qu'elle souhaitait, c'était qu'elle fasse jouer ses relations. Et après tout, elle avait bien prétendu pouvoir le faire. Et même si Matty Banks était certainement réservé des mois, voire des années, à l'avance, Ava s'attendait qu'elle le fasse venir d'un claquement de doigts. Elle ne se démonta pas.

– Je suis sûre que ça peut se faire.

– Très bien, répondit Ava en barrant une ligne dans son carnet. Maintenant, les petits fours. Je pensais à quelque chose de nourrissant, pas trop léger. Ce nouveau restaurant du Meatpacking District, le *Café Luz*, tu vois ? Il paraît qu'ils font des macaronis au fromage d'enfer, avec de la truffe râpée. Ton père connaît certainement le chef, non ?

– Filippo ? demanda Carina, soucieuse. Mais il vient tout juste d'ouvrir, il est sûrement débordé...

– Demande-lui, tu me diras ce qu'il dit, la coupa Ava en barrant encore une ligne. Et puis, en dessert, je pensais aux *cupcakes* végétaliens de chez *Sugarbabies*.

– Attends. Ce n'est pas là que le moindre *cupcake* coûte six dollars ?

Ava fronça le nez.

– Ils viennent de décrocher le prix du meilleur *cupcake* de New York, et ils sont totalement tendance en ce moment. Quant aux fleurs, je ne vois que Mercer Vaise. Tu as déjà travaillé avec lui, n'est-ce pas ? Il paraît que ses orchidées sont juste incroyables.

– Mercer Vaise fleurit les mariages des émirs et des familles royales, objecta Carina. Tu crois que c'est dans les moyens de la Fondation Beauté pour New York ?

Les traits d'Ava se crispèrent comme si Carina venait de s'exprimer en swahili.

– Mais nous n'allons pas *payer* tous ces gens. C'est ce que tu croyais ? C'est pour un gala de charité, je te rappelle.

– Dans ce cas, pourquoi veux-tu qu'ils travaillent pour nous ?

Ava leva les yeux au ciel, exaspérée.

– Parce que tu les *connais* ! Tu as déjà travaillé avec eux. Ils seront heureux de vous rendre ce service, à toi et à ton père. À ton avis, pourquoi est-ce qu'on te paie mille dollars ?

Carina jeta un coup d'œil à ses amies. Hudson fixait furieusement la nuque d'Ava. Lizzie secouait la tête pour lui dire « non ».

– Attends, reprit Ava en posant sur Carina un regard insistant, qui ne cillait pas. Ça ne va pas poser de problème, n'est-ce pas ?

Les secondes s'égrenèrent au ralenti. Carina réfléchissait fébrilement. C'était le moment. Le moment de dire que... eh bien... si, en fait, il risquait d'y avoir un problème.

Mais ce n'était pas envisageable. Elle avait besoin de l'argent.

– Bien sûr que non ! Mon père est lié avec tous ces gens comme les doigts de la main.

– Fantastique ! s'écria Ava en se levant pour épousseter son collant bordeaux. Oh, j'allais oublier ! On a dit deux cents, c'est bien ça ?

Elle plongea la main dans son sac et en ressortit un lourd portefeuille Vuitton, dont elle tira deux billets de cent dollars tout neufs.

– Pour ton avance de trésorerie, dit-elle avec une infime touche de sarcasme.

Aussitôt qu'elle eut refermé les doigts sur les billets, Carina sentit ses doutes fondre comme neige au soleil.

– Tiens-moi au courant pour Matty, lui rappela Ava. D'ici à vendredi ?

– Aucun problème.

– Parfait. Quelque chose me dit que ce sera le gala du Flocon de neige le plus réussi de tous les temps.

Ava secoua ses cheveux et s'éloigna d'un pas nonchalant. Son kilt roulé à la taille oscillait de droite à gauche comme un index menaçant.

– Mon Dieu, mon Dieu. C'est encore pire que ce que je croyais, gémit Lizzie en bondissant de son fauteuil. Il faut que tu fasses travailler tous ces gens *gratuitement* ?

– Et elle t'a déjà donné une avance ? demanda Hudson avec méfiance.

– C'est juste pour le forfait remontées mécaniques, expliqua Carina sur un ton qu'elle voulait optimiste. Pour que je sois sûre de pouvoir partir.

– Mais tu *détestes* utiliser le nom de ton père, protesta Lizzie en triturant un élastique passé autour de son poignet. Tu dis toujours que ça te donne envie de vomir. Alors, pourquoi tu as dit oui ?

– Mais je n'aurai pas à brandir son nom. Presque tous ces gens ont déjà travaillé avec lui. C'est un service que je demande à des amis. Et c'est pour une très bonne cause.

Lizzie haussa ses sourcils, parfaitement désintéressée.

– De la chirurgie esthétique gratuite pour les personnes défavorisées ? C'est en dessous de toi, C. Remuer toute la ville sous les ordres d'Ava Elting... Tu vaux mieux que ça. Tu ne crois pas ?

Carina se leva, portée par une bouffée de colère.

– Faut que je trouve Carter avant que ça sonne, marmonna-t-elle avant de ramasser son sac et de sortir en vitesse.

Elle rejoignit l'escalier à toute vitesse, tout en s'efforçant de garder son calme. Elle adorait Lizzie et Hudson, mais aucune des deux ne comprenait ce qu'elle traversait. On voyait bien qu'elles n'avaient jamais dû annuler une sortie avec un garçon qui leur plaisait parce qu'elles ne pouvaient pas se payer une pizza avec lui. Qu'elles n'avaient jamais eu à survivre avec vingt dollars par semaine. Comment pouvaient-elles la juger ? Elle ne faisait que ce qu'elle avait à faire. Bien sûr, Ava l'avait carrément piégée avec cette idée de demander des faveurs pour rien, mais elle trouverait une solution. Et elle avait déjà à demi gagné ses vacances romantiques avec Carter. Dès qu'elle lui aurait remis l'argent, ce serait « un fait accompli », comme aurait dit Hudson.

Lorsqu'elle vit le garçon sortir de la salle informatique quelques minutes plus tard, son estomac fit une telle galipette qu'elle eut peur de vomir devant lui.

– Eh bien, il y a le feu ? lui demanda-t-il en s'approchant tout près d'elle.

Il lui sourit d'une manière si nonchalante, si sexy, qu'elle en eut la chair de poule.

– Je voulais te donner ça, dit-elle d'un air complice en lui tendant l'argent. Pour mon forfait.

Il contempla les deux billets froissés dans sa main.

– Je pensais que tu me ferais un chèque ou un virement.

– Pas mon genre, je préfère le bon vieux cash, répondit-elle d'un air coquin. Et tu ne croyais quand même pas que j'allais oublier l'idée de te laisser sur place sur les pistes, hein ?

– Pas de danger, fit-il avec un grand sourire en glissant l'argent dans la poche de son sweat.

– Et... on pourrait peut-être se voir avant, non ? ajouta-t-elle.

L'espace d'une seconde, elle eut peur qu'il ne réagisse pas. Mais au contraire, son sourire ne fit que s'élargir.

– Bonne idée.

À ce moment précis, une sonnerie tonitruante s'éleva du sac de Carina. Son téléphone préhistorique.

– Qu'est-ce que c'était que ça ? s'étonna Carter en regardant autour de lui.

– Faut que je file, dit Carina en reculant. Je te retrouve sur Facebook.

Elle partit en courant dans le couloir et vira abruptement dans les toilettes des filles. Une fois en sécurité dans une cabine fermée à clé, elle sortit son téléphone. Un SMS de son père.

Cocktail pour Princesse Magazine ce soir. Dix-huit heures précises. SoHo Grand Hotel.

Elle n'avait toujours pas revu le Jurg depuis l'autre soir, dans la pièce télé. Et elle n'avait vraiment aucune envie d'assister à une de ses réceptions.

Mais peut-être était-ce l'occasion idéale pour lui montrer qu'elle se portait très bien. Elle avait trouvé du travail et (potentiellement) un nouvel amoureux, le tout en quelques jours. Elle allait plus que bien. Elle avait une pêche d'enfer.

Elle jeta son téléphone dans son sac et attacha ses cheveux en queue-de-cheval. Elle irait à ce cocktail débile, sourirait comme une folle et lui montrerait que sa punition ne l'atteignait pas. Elle avait presque hâte d'y être.

Chapitre 11

Le cocktail du magazine *Princesse* était déjà bien commencé lorsque Carina pénétra dans la suite de luxe du *SoHo Grand Hotel*. Elle passa devant un agrandissement de la maquette de couverture du numéro de décembre, sur laquelle on voyait une starlette brune, héroïne d'un film d'horreur à succès. Carina vérifia son apparence dans le miroir de l'entrée. Elle avait troqué son uniforme de collégienne contre un haut Anthropologie en soie grise à volants, un jean slim bleu foncé, des ballerines noires et le plus coûteux de ses sacs Martin Meloy. Un style propre à plaire à son père. Elle n'adorait pas Martin Meloy, surtout depuis ce qui s'était passé avec Lizzie, mais les invités semblaient du genre à l'apprécier. *OK*, dit-elle à son reflet. Elle n'avait plus qu'à se montrer au Jurg et se barrer. Après, elle avait rendez-vous avec Matty Banks. Et c'était bien plus important que sa présence ici.

Elle avança jusqu'à la pièce principale de la suite. Quelques people de troisième zone traînaient sur les canapés, sous le regard ébahi des très jeunes rédactrices de *Princesse* qui les observaient du bar. Des serveurs beaux à tomber faisaient circuler des plateaux chargés de petits fours, et des photographes rôdaient, appareil en main. C'était, comme d'habitude, moins une fête qu'une raison de faire parler du magazine, et de sa *cover girl*, en page six du *New York Times* et sur les blogs de potins le lendemain. Pourtant, les directeurs artistiques avaient beau se succéder, les actrices en vogue avaient beau faire la couverture, les ventes du magazine étaient tous les mois bien inférieures à celles de ses concurrents. Le Jurg n'en comprenait pas la raison, mais Carina, si, et depuis longtemps. Elle avait toujours eu l'impression que les rédacteurs avaient suivi un stage intitulé « Connaître les adolescentes » en 1989 et n'avaient rien appris de nouveau depuis. Leurs articles « tendance » arrivaient toujours trop tard, leurs pages mode étaient complètement à côté de la plaque et leurs enquêtes décrivaient des phénomènes dépassés depuis dix ans, du genre : « Les jeunes et la technologie ». Mais elle n'avait jamais donné son avis à son père. Il n'aurait sûrement pas apprécié.

Elle était en train de traverser la salle, en guettant le Jurg du coin de l'œil, lorsqu'elle faillit se cogner au Larbin Rampant, juché sur une ottomane en daim. Avec son costard marron et ses rares cheveux gras, il paraissait totalement déplacé.

– Bonsoir, Carina, dit-il de sa voix nasillarde. Quel plaisir de te voir.

Elle lui rendit son salut sans réussir à le regarder dans les yeux. Elle se demandait s'il avait reçu ses lettres d'amour anonymes.

– Tu connais Barb Willis ? demanda-t-il avec un geste

raide en direction d'une femme au physique banal, assise à côté de lui, qui paraissait aussi déplacée que lui dans ce cadre. C'est la rédactrice en chef de *Princesse*. Barb, je te présente Carina. La fille de Karl.

– Carina, bonsoir ! lança Barb avec effusion en lui tendant la main.

Elle semblait avoir la quarantaine bien tassée. Ses fins cheveux châtains étaient électriques et elle portait des lunettes à monture d'acier. À part cela, ni bijoux ni maquillage, et un tailleur noir informe qui pendait sur son corps anguleux. Contrairement à la plupart des rédactrices qui travaillaient pour Karl, Barb semblait tout faire pour éviter d'être glamour.

– Enchantée.

– Carina a travaillé un moment dans nos bureaux, précisa Ed avec ce sourire narquois dont il avait le secret. Le magazine n'a donc pas de secrets pour elle.

Et je connais sa situation catastrophique, songea Carina.

– Tiens, voilà ton père, ajouta Ed.

En effet, le Jurg approchait à grands pas. Les gens s'écartaient sur son passage, comme toujours lorsqu'il traversait une salle bondée. Même Carina devait admettre qu'il ressemblait à une star de cinéma dans son costume Armani gris anthracite.

– Bonsoir, ma chérie, dit-il en se baissant pour l'embrasser sur la joue. (Il se montrait toujours plus affectueux avec elle en public.) Content de te voir.

– Salut.

Elle évita son regard.

– Je vois que tu as fait connaissance avec Barb.

Carina nota que la femme le dévorait des yeux. *Manquait plus que ça*, songea-t-elle. *Barb est amoureuse de lui.*

– Oui, on a été présentées.

– Carina adore le magazine, enchaîna-t-il à l'intention de la rédactrice. Il faut absolument qu'elle vous en parle.

Barb rougit légèrement et remonta ses lunettes sur son nez en bec d'oiseau. Carina ne put s'empêcher de penser que Hudson aurait pu la relooker de manière spectaculaire.

– Nous avons décidé de faire une série d'articles sur une *vraie* « princesse », expliqua Barb en dessinant des guillemets avec ses doigts. Une vraie jeune fille d'aujourd'hui qui mène une existence fabuleuse, très glamour, la vie dont rêvent nos lectrices. Et nous nous sommes dit : « Qui mieux que Carina Jurgensen pourrait l'incarner ? »

– Quoi ? Moi ?

– Eh bien, c'est vrai que tu as une vie ultraglamour. Tu es au lycée Chadwick, tu vis dans un appartement fabuleux, tu passes tes étés à Montauk, ton père est un des hommes les plus puissants de la planète... (Barb décocha un petit sourire à Karl.) Une vraie vie de princesse, ou je ne m'y connais pas.

Son père renchérit.

– Tu leur parlerais de ton quotidien, des endroits où tu sors, de tes boutiques préférées, du maquillage que tu portes, etc. Amusant, non ?

Il dégaina son sourire spécial « apparitions en public ».

Ses boutiques préférées ? Il plaisantait, ou quoi ?

– Euh... C'est très flatteur, mais honnêtement, je ne pense pas être celle que vous cherchez. En tout cas, pas en ce moment, ajouta-t-elle en lançant à son père un regard qu'il ne vit pas.

128

– Allons, la contra-t-il. Une petite interview, quelques photos de toi dans des vêtements bien choisis... Ce sera formidable.

Il lui donna une petite tape dans le dos, ce qui, elle le savait, signifiait : « fin de la discussion ».

– Nous verrons avec Carina quand elle peut passer dans nos bureaux, dit-il à Barb.

– Merci, Karl. Si vous voulez bien m'excuser, je crois bien que ma rédactrice beauté est pompette.

– Je vous accompagne, proposa Ed.

Et ils se fondirent tous les deux dans la foule.

Carina se campa face à son père.

– C'est une *blague* ? cria-t-elle pour être entendue par-dessus le dernier tube de Zero 7.

– Quoi encore, Carina ? soupira-t-il en prenant un verre d'eau glacée sur un plateau qui passait. Quel est le problème, cette fois ?

– Je croyais que, justement, tu ne voulais plus que je sois une princesse. Je croyais que c'était le but de ton attitude envers moi.

– Ce n'est qu'un article. Arrête de dramatiser.

– Mais c'est un mensonge. Je connais les filles dont elle veut parler, et je n'en fais pas partie. Je n'en fais plus partie, du moins. Je crois même que ça n'a jamais été le cas.

– Carina, ce magazine ne va pas bien, souffla-t-il entre ses dents. Et s'ils veulent faire un papier sur ma fille, c'est la moindre des choses d'accepter.

– Mais pourquoi veux-tu que les gens me prennent pour quelqu'un que *toi*, tu ne veux pas que je sois ?

Il reposa brutalement son verre sur un autre plateau.

– Tout le monde sait que tu as la belle vie. Tu es ma fille, bon sang ! On ne peut pas vraiment dire que tu souffres.

– Eh bien peut-être que je ne veux plus être ta fille. Peut-être que je voudrais simplement être Carina.

Le Jurg la regarda, la mâchoire crispée à fond.

– Qu'est-ce que tu viens de dire ?

– Il faut que je parte, marmonna-t-elle en reculant, heurtant presque au passage un photographe en plein travail.

– Carina...

Elle n'attendit pas la suite. Elle pivota et se fraya un chemin dans la foule, se cognant contre de volumineux sacs à main et des épaules pointues. Elle savait que c'était impoli et immature de s'en aller ainsi, mais à ce moment-là, cela ne lui faisait ni chaud ni froid. Elle était trop en colère pour cela. Son père était un parfait hypocrite, et tout ce qu'elle voulait, c'était sortir de là. En tournant pour rejoindre le hall, elle se cogna de nouveau contre la couverture agrandie de *Princesse* sur son présentoir et la renversa par terre.

Les invités levèrent le nez de leur flûte de champagne. Un photographe immortalisa l'instant. Carina regarda la maquette de couverture en se demandant si elle devait la ramasser. Elle se sentait observée par son père, et elle le vit secouer la tête, paupières plissées. Ses yeux brillaient comme deux étoiles noires.

Les portes de l'ascenseur s'ouvrirent.

Oh, quelle importance ? songea-t-elle en s'y engouffrant.

Chapitre 12

– Je devrais être sur la liste, dit-elle en resserrant son écharpe autour de son cou car un vent glacial soufflait dans Spring Street. Jurgensen, avec un « J ». C'est Matty Banks qui m'a inscrite.

Le physionomiste consulta sa planchette à pince, puis frotta son menton mal rasé en la jaugeant du regard. Il était aussi baraqué qu'un joueur de football américain, tellement large d'épaules que sa veste menaçait de craquer à tout moment. Face à lui, Carina se sentait comme une fillette de huit ans.

– Vous avez une pièce d'identité ? demanda-t-il en tapotant sa liste avec son crayon.

– Je l'ai oubliée.

Son père lui avait dit un jour que tant qu'on parle avec assurance on peut faire croire n'importe quoi.

L'homme la toisa de nouveau.

– Dix minutes, dit-il brusquement en ouvrant le cordon de velours. Et pas d'alcool.

– Aucun problème.

L'alcool ne l'intéressait absolument pas, depuis que, à

131

l'âge de dix ans, elle avait descendu cul sec un verre de vodka-tonic qu'elle avait pris pour du Seven Up et qu'elle avait failli tout dégobiller.

– Merci, ajouta-t-elle entre ses dents avant de pénétrer dans le *Luxelle Lounge*.

Le *Luxelle Lounge* était une boîte tellement sélecte qu'elle n'avait ni numéro de téléphone ni enseigne. Pas même un nom sur la porte. À l'intérieur, c'était aussi branché que Carina l'avait imaginé. Le long des murs, des banquettes rouges s'abritaient derrière des rideaux de mousseline. Le bar en merisier massif était décoré de petites bougies. La sono déversait un hip-hop français cool et raffiné. Et sur une estrade, au fond, les platines de Matty, noyées de lumière rouge, attendaient comme un décor de théâtre.

Carina, gênée, regarda autour d'elle. Elle ne s'était jamais trouvée seule dans un bar, et elle s'attendait que quelqu'un appelle la police ou les services sociaux. Pourtant, personne ne faisait attention à elle. Ni les barmaids aux cheveux soyeux qui secouaient leurs shakers, ni la belle serveuse qui la dépassa sans un mot. Les quelques clients présents ne tournèrent pas la tête pour la regarder. Mais une personne l'avait remarquée. Un type qui ne semblait pas plus vieux qu'elle, debout dans un coin, l'observait tranquillement en sirotant un verre d'eau.

Il était svelte et musclé comme un skateur, avec des cheveux noirs, coupés un peu trop court pour être vraiment à la mode. Il portait un pantalon vert foncé, de vieilles Stan Smith et un tee-shirt Arctic Monkeys par-dessus un sweat gris. Il était plutôt mignon, avec son visage taillé au couteau, ses yeux noisette qui lui mangeaient la figure, bien

132

qu'il soit un peu petit et qu'il semble se la jouer « artiste ». Ce qui n'était pas trop le genre de Carina. Ces types-là étaient toujours trop obsédés par leur musique pour s'intéresser vraiment aux filles, au sport ou aux copains. Cependant, à sa façon de la regarder, il paraissait bien plus pressé de la connaître que de télécharger le dernier Arcade Fire.

Soudain, des cris de sauvage la firent sursauter.

– Cariiii-na ! Carina J. !

Matty Banks s'avançait vers elle, d'un pas mi-frimeur mi-traînant, comme s'il était trop cool pour marcher normalement. Elle le trouva encore plus grand et svelte que la dernière fois qu'elle l'avait vu, et une barbe de trois jours accompagnait sa tignasse savamment décoiffée. Beaucoup de filles trouvaient Matty Banks hypersexy, mais, pour sa part, Carina n'était pas trop attirée par les garçons plus minces qu'elle. En arrivant près d'elle, il renversa la tête en arrière et brailla encore son nom vers le plafond.

– Cariii-na ! Quoi de neuf, Karl junior ? fit-il en lui tapant dans la main.

– Salut, Matty.

Le gars l'enlaça, si bien qu'elle se retrouva le nez collé contre le logo Howard Johnson de son tee-shirt.

– Bébé, c'est bon de te revoir ! Ton père est content de la playlist que j'ai faite pour son iPod ?

– Il adore. Il doit avoir déjà perdu cinq kilos en courant là-dessus.

– Yo, Amber ! cria Matty en direction du bar, les mains en porte-voix. Fais passer un Rockstar quand tu auras une seconde !

133

Une barmaid aux cheveux de soie lui répondit d'un hochement de menton.

– Et un pour ma copine, OK ? cria-t-il à nouveau en prenant Carina par le bras pour la guider vers une banquette rouge. Alors, qu'est-ce que tu racontes ? lui demanda-t-il lorsque, échappant à sa poigne, elle s'assit enfin. Tu as une fiesta de prévue, tu disais ?

Ses doigts jouaient de la batterie sur la table tandis que ses yeux glissaient sans cesse sur la salle. Carina se rappela qu'il était incapable de se concentrer plus de quelques minutes.

– C'est le gala du Flocon de neige. Un bal donné pour les élèves d'écoles privées de New York. Tenue de soirée, sur invitation personnelle. Ça a lieu tous les ans, c'est tout un tralala.

– Super, miss J., lâcha-t-il en reluquant la belle serveuse qui arrivait avec leurs consommations.

– Bref, tous les bénéfices sont reversés à une association caritative, continua Carina en s'efforçant de capter son attention. Et ce serait carrément top de t'avoir, *toi*, aux platines. Qu'est-ce que tu en dis ?

Elle goûta à sa boisson et faillit s'étrangler. C'était fort.

Matty, lui, prit une lampée de la sienne tout en fixant un point derrière sa tête.

– Alors ce n'est pas pour ton père ?

– Euh, non. Mais c'est pour une cause formidable. La chirurgie esthétique pour ceux qui n'en ont pas les moyens. C'est très important, tu vois. Et je suis sûre que je pourrais t'avoir des Rockstar gratuits toute la soirée. Par contre, comme c'est un gala de charité, on ne te paiera pas.

Les yeux du DJ cessèrent soudain de parcourir la salle pour revenir se fixer sur elle.

– Je suis sûre que ça ne te pose pas de problème, se dépêcha-t-elle d'ajouter.

Matty posa sa cannette et observa la table pendant un moment.

– Oui, enfin... Je serais heureux de t'aider, mais je ne crois pas que ce soit possible. Je suis complètement over-booké.

– Je ne t'ai pas encore donné la date !

Matty secoua la tête.

– Ça ne change rien. Je n'ai pas un moment à moi pendant toutes les fêtes, Noël, premier de l'an, tout. Faut bien gagner sa croûte, hein ?

Avant qu'elle ait pu répondre, il termina sa boisson et se leva.

– Désolé, je ne peux rien faire pour toi. Sérieux. Mais pense à saluer ton père pour moi. Il sait où me joindre, hein ?

– Bien sûr, répondit Carina, morose.

Il lui attrapa les doigts pour un *check* façon ghetto.

– Génial. J'espère que tu restes ce soir. Je prends les demandes personnelles, plaisanta-t-il avec un clin d'œil avant de s'éloigner en direction du bar.

Furieuse, elle donna un coup de pied dans la table. Elle avait complètement perdu son temps. Oui, Matty était toujours obsédé par le Jurg, et oui, il l'aimait bien. Mais pas assez pour oublier la facture. C'était pour cela qu'il ne jurait que par son père, pour cela qu'il avait accepté de la rencontrer ce soir. Pour la même raison que Roberta : l'appel du tiroir-caisse.

Du coin de l'œil, elle vit approcher le gigantesque videur.

– C'est l'heure, dit-il en la prenant par le bras. Vous voulez nous faire perdre notre licence de vente d'alcool ?

– Je m'en vais, promis ! râla-t-elle tandis qu'il la faisait lever de force.

Elle tenta de se dégager, mais l'homme avait une poigne de fer.

– Dites donc, bas les pattes ! Vous avez un problème, ou quoi ?

Alors qu'elle allait balancer au gorille un coup de pied dans les tibias, le skateur aux grands yeux noisette se matérialisa devant eux.

– Du calme, Ruben, dit-il tranquillement en levant les mains. Pas la peine d'en faire des tonnes.

– Tu la connais ?

– Bien sûr que je la connais, et elle allait partir.

Il se rapprocha, si près que Carina remarqua ses belles dents blanches et ses longs cils bruns.

– Je ne veux pas te vexer, mec, reprit-il, mais tu as l'air d'un abruti à vouloir la traîner dehors comme ça.

Ruben relâcha son étreinte, et le sang put à nouveau circuler dans le bras de Carina. Elle ignorait qui était le jeune type, mais ce qui était sûr, c'est que le videur ne voulait pas être ridicule devant lui.

– S'il se passe quoi que ce soit, ce sera ta faute, grommela-t-il avant de regagner la porte, l'air furieux.

– Désolé, dit l'inconnu au look artiste en se rapprochant encore de Carina. Ils sont parfois un peu paranos, ici.

– Mais pas avec toi ? demanda-t-elle en frottant son bras encore brûlant.

– Je viens souvent, répondit-il d'un ton détaché. Mais toi, on voit que tu es nouvelle.

Il inclina la tête sur le côté pour l'observer avec attention.

– Je dirais Park Avenue, stages de tennis, East Hampton l'été, shopping chez Marc Jacobs dans la 14e Rue, déclara-t-il avec un hochement du menton vers son sac.

– Martin Meloy, le corrigea-t-elle en cachant ledit sac derrière elle. Et toi, tu es qui ? La police des branchés ?

L'inconnu sourit.

– Non, je suis Alex. Alex Suarez.

– Carina.

Ils se serrèrent la main.

– Et je ne suis pas un branché, rétorqua-t-il.

– Et moi, je n'habite pas dans Park Avenue.

– C'est noté, concéda-t-il. Comment tu connais Matty Banks ? S'il te plaît, dis-moi que tu ne sors pas avec lui, ajouta-t-il en passant la main dans ses courts cheveux bruns.

– Non, j'essayais juste de l'engager. Pour le gala du Flocon de neige. C'est un bal qui a lieu tous les ans à Noël...

– Je sais ce que c'est, la coupa-t-il. Je suis élève à Stuyvesant. Par conséquent, ajouta-t-il avec un large sourire, je ne suis jamais invité.

Stuyvesant était un lycée public : en effet, ses élèves n'avaient pas la moindre chance d'apparaître sur la liste des invités d'Ava.

– Bah, ça n'a rien d'exceptionnel, se hâta de préciser Carina. Je n'irais même pas si je n'étais pas chargée de l'organisation.

– Mmm, fit Alex avec un sourire encore plus large.

Carina sentit ses joues chauffer. D'habitude, c'était elle

137

qui pointait le ridicule chez les autres, et voilà qu'il lui faisait le coup.

– Alors, Matty a dit oui ?

– Non, il ne peut pas. Il est pris.

– Coup de bol pour toi ! Il est nul.

– *Nul* ? C'est le DJ le plus célèbre au monde !

– Ça ne veut pas dire qu'il est bon, répliqua Alex en fourrant ses mains sous ses aisselles. Je l'ai vu mixer trois fois au cours des six derniers mois, et il n'a pas varié d'un pouce. Depuis qu'il a gagné un Grammy et qu'il se tape des mannequins, il croit qu'il n'a plus aucun effort à faire. (Alex eut un rire narquois.) Il est la honte de la profession.

Carina croisa les bras.

– Tu es DJ, peut-être ?

– Eh oui. Et je te garantis que je suis meilleur que lui.

– Ah bon ? *Toi* ?

– Tout à fait.

Un nouveau sourire désarmant.

– Mais tu es en quelle classe ?

– En première. (Il regarda vers le plafond.) Et ma mère est au courant, et j'ai 16 de moyenne générale, OK ?

– Bon, bon. Mais sérieusement, tu es meilleur que lui ?

À ce moment-là, le hip-hop français fut remplacé par un remix d'une chanson des Bee Gees. Tournant la tête, ils virent Matty aux platines, casque sur les oreilles.

– Quelle originalité ! commenta Alex entre ses dents. Écoute. Si tu veux vraiment quelqu'un de doué pour ta soirée, tu devrais me demander. Et si tu as toujours des doutes, voilà ce que je te propose. Je mixe demain soir. Viens me voir, et tu décideras par toi-même.

138

Il sortit un flyer de la poche de son jean et le lui tendit.

On pouvait lire : TOUS LES MARDIS, DJ ALEXX AU CLUB NESHKA.

– Ton prénom s'écrit avec deux « x » ? demanda-t-elle, sceptique.

Il haussa les épaules.

– C'est mon nom de scène. Faut bien se distinguer un peu.

– Le club *Neshka* ?

– Une des boîtes les plus cool de la ville. Crois-moi.

– Je croyais que c'était ici, la boîte la plus cool de la ville.

Alex secoua la tête.

– Raison de plus pour venir au *Neshka*.

Carina fourra le flyer dans son sac.

– Ok, je te retrouve là-bas. Demain. Huit heures. Et tu as intérêt à assurer, Alex avec deux « x ».

– T'inquiète, répondit simplement le garçon avant de s'éloigner.

En regagnant le rideau de velours de la sortie, elle se fit la réflexion qu'elle n'arrivait pas à cerner Alex Suarez. D'accord, il avait un petit côté Monsieur Je-sais-tout, et il était frimeur comme pas deux, mais il semblait intelligent et généreux. Et elle s'était sentie bizarrement à l'aise en lui parlant. Presque comme si elle l'avait toujours connu.

Elle regarda de nouveau le flyer. Cela paraissait un peu sommaire d'engager un garçon de son âge pour un gala qu'Ava voulait voir mentionner dans le supplément magazine du *Times*. Mais c'était peut-être vrai qu'il était meilleur que Matty Banks. Et, au moins, il ne portait pas un tee-shirt Howard Johnson et ne braillait pas son nom vers le plafond, se dit-elle en passant la porte.

Chapitre 13

– Alors tu es entrée, comme ça, et on ne t'a même pas demandé ton âge ? demanda Hudson, incrédule, en posant ses baguettes sur un maki au concombre.

– Matty m'avait fait inscrire sur la liste. Je vous ai dit qu'il avait tout de suite accepté de me voir.

Carina baissa les yeux sur son sandwich dinde-gruyère ramolli. La veille au soir, elle avait été si fière de le confectionner elle-même dans la cuisine déserte, de tartiner la moutarde de Dijon, disposer les feuilles de laitue, épépiner la tranche de tomate... À présent, la chose ressemblait à une éponge mouillée.

– Et alors, Million Dollar Matty va mixer gratuitement ? s'enquit Lizzie.

– Euh... en fait, il ne peut pas, il est trop pris.

Évidemment, Lizzie et Hudson lui lancèrent un regard qui signifiait : « On te l'avait bien dit. »

– Pitié, les filles. Arrêtez.

– Bon, d'accord, fit Lizzie en mordant dans son wrap épinard-dinde qui avait l'air succulent. Mais on s'inquiète, c'est tout. D'autant plus qu'Ava t'a déjà payé une avance.

– D'une, tout le monde m'accorde un rendez-vous tout de suite. Le chef cuisinier du *Café Luz* ? Filippo ? Je le vois ce soir. Et en ce qui concerne le DJ, j'en ai déjà trouvé un autre en remplacement.

Elle ferma les yeux et prit une bouchée de son sandwich. Le goût n'était pas aussi affreux que l'aspect.

– Ah, ça, c'est bien, dit Hudson. Qui est-ce ?

– Un mec très sympa que j'ai rencontré au *Luxelle*. Il a notre âge. Et il mixe ce soir quelque part sur East Broadway, si vous voulez venir avec moi.

Lizzie prit un air perplexe.

– East Broadway ? C'est où, ça ?

– Quelque part vers la pointe de Manhattan, dit Carina bien qu'elle ne connaisse pas non plus ce quartier.

– Tu sais que j'aimerais bien, mais je suis toujours privée de sorties, soupira Lizzie.

– Et moi, j'ai des réglages de dernière minute au studio, expliqua Hudson. Et ensuite, mon cours de danse.

– Dis donc, fit observer Carina, ta mère te met vraiment la pression, en ce moment.

Hudson posa de nouveau ses baguettes.

– Je sais. Je ne suis pas sûre d'y arriver.

– Arriver à quoi ? À terminer ton album ? s'inquiéta Lizzie.

– Non, dit prudemment Hudson en attrapant les graines de sésame de son maki du bout de ses baguettes. À faire de la scène. Chanter et danser. Me produire en public, dit-elle d'une voix qui était à peine plus qu'un murmure.

– H., s'il y a une personne qui est taillée pour ça, c'est bien toi, affirma Carina en terminant son sandwich.

142

– C'est normal d'avoir le trac, renchérit Lizzie. Ce qui serait étonnant, ce serait que tu ne l'aies pas. Et puis, tu ne vas pas donner ton premier concert à Madison Square Garden. Tu commenceras plus petit, et tu auras le temps de t'y faire progressivement.

Hudson hocha la tête, les yeux rivés sur son maki à peine entamé.

– Oui, vous avez sûrement raison. Ma mère dit que c'est parce que j'en sais trop. Je n'ai pas la naïveté qu'elle avait à ses débuts. Elle dit qu'il faut que j'arrête de penser.

Carina et Lizzie échangèrent un regard. Elles savaient bien que Hudson en était incapable.

Après le déjeuner, Carina se dépêchait de prendre son livre d'anglais dans son casier lorsqu'on lui tapa sur l'épaule.

– Salut, toi.

C'était Carter McLean, si proche que leurs bras se frôlaient. Ses yeux étaient encore plus verts et perçants que d'habitude.

– Alors ? demanda-t-il avec son sourire le plus sexy. Tu ne m'as pas contacté sur Facebook.

Cette fois, elle sentit son estomac faire un salto arrière.

– Ah oui. Je n'étais pas chez moi hier soir.

– Tu as le téléphone, non ?

Carina resta muette un instant. Il n'existait pas de bonne manière de lui dire que son téléphone était plus vieux que lui.

– Bien sûr, mais je n'avais plus de batterie. À propos, tu fais quelque chose ce soir ? Un peu tard ? Vers vingt et une heures ?

Cela lui laissait le temps d'aller voir Alex à l'autre bout de la ville et de revenir.

– Je suis libre, répondit-il, l'air content et légèrement impressionné. On pourrait se retrouver chez moi, regarder un film ou quelque chose comme ça.

Carina Jurgensen, one point *!* pensa-t-elle.

– Super, on fait comme ça.

Il lui fourra un morceau de papier dans la main.

– Tiens. Comme ça, tu n'as plus d'excuse.

Ses doigts chauds s'attardèrent sur les siens, lançant son cœur au triple galop. Avec un dernier sourire, elle s'en alla.

Carina entra en titubant dans la classe, le papier toujours dans la main. Elle avait encore dans les narines son odeur masculine, mélange de savon et de sueur, et son cœur battait comme un tambour.

Ils avaient un rencard. *Ce soir.* Au moins cinq semaines avant les vacances.

Une fois bien assise, et après s'être assurée que personne ne la regardait, elle déplia le papier. On pouvait lire, d'une écriture de garçon adorablement brouillonne :

CARTER

555 23 22

Elle replia discrètement le papier. Elle lui plaisait. C'était sûr, elle lui plaisait.

Chapitre 14

Il y avait longtemps de cela, à une époque très reculée – c'est-à-dire avant cette funeste semaine –, le Meatpacking District était un des quartiers préférés de Carina. Flanquée de ses deux inséparables amies, elle s'y rendait pour écumer les boutiques Martin Meloy, Diane von Furstenberg et Stella McCartney avant d'aller prendre un café au lait et un pain au chocolat chez *Pastis*. À présent, alors qu'elle déambulait sous la pluie dans ce triangle de rues pavées et que son parapluie en plastique menaçait dangereusement d'être déchiqueté par le vent, elle avait l'impression que ces jours appartenaient à la vie de quelqu'un d'autre. Une vie extrêmement agréable, extrêmement privilégiée.

En approchant du *Café Luz*, elle essaya d'ignorer les vitrines, mais la tentation était trop forte. Arrivée devant chez Catherine Malandrino, elle regarda à l'intérieur. Une blonde de son âge essayait une superbe robe baby doll violette, légère comme une plume. Elle pirouettait devant la glace, faisant voler innocemment l'ourlet autour de ses genoux et l'étiquette blanche accrochée à une épingle de nourrice.

Carina se rapprocha encore, le nez presque collé à la vitre. Elle sentait d'ici la soie sur sa peau et l'odeur de tissu neuf. Elle voulait cette robe. Il lui fallait cette robe. Cette robe aurait été encore plus belle sur elle. Puis son regard dériva vers les modèles exposés en vitrine. L'un des mannequins argentés était revêtu du débardeur jaune. *Son* débardeur jaune. Il était toujours magnifique, toujours à la pointe de la mode, toujours parfait pour elle à tous égards...

Reprends-toi, se dit-elle en faisant demi-tour pour repartir sous la pluie. Ce n'étaient que des vêtements, tout de même ! Rien d'important, et rien d'indispensable. Mais si, c'était important. Au creux de son ventre, elle éprouvait une étrange sensation de faim, comme si elle s'était refusé une part de gâteau. C'était peut-être vrai qu'elle était accro à la consommation. Peut-être le Jurg avait-il raison sur toute la ligne.

Mais non, il ne savait pas tout d'elle. Car elle était là, prête à rencontrer Filippo Mucci, prodige culinaire, en vue du gala du Flocon de neige. Lorsqu'il avait appris qu'elle avait tenté de le joindre en passant par le gérant du *Café Luz*, il l'avait immédiatement rappelée en la priant de venir au restaurant, où il la recevrait en personne. Elle avait un bon pressentiment. Et avec un peu de chance, elle allait se remplir l'estomac, en plus !

Elle traversa la rue et pénétra dans le restaurant, un ancien relais de poste du XIXe siècle reconverti en antre des délices. Malgré la pluie, une petite foule attendait à l'extérieur que des tables se libèrent. Seul Filippo était capable d'attirer une telle file d'attente dès cinq heures et demie de l'après-midi.

– Bonsoir, que puis-je faire pour vous ? lui demanda le maître d'hôtel aussitôt qu'elle fut entrée.

146

Il était en costume noir et cravate, et son crâne rasé luisait dans la lumière tamisée. Derrière lui, Carina distinguait un minuscule espace éclairé aux chandelles qui ne contenait qu'une douzaine de tables, toutes occupées. *Pas étonnant que tout ce monde attende dehors*, songea-t-elle. L'endroit n'était pas plus grand que son dressing.

– J'ai rendez-vous avec Filippo. Je suis Carina Jurgensen.

– Par ici, je vous prie. (L'homme lui indiqua une petite table pour deux, libre, qu'elle n'avait pas remarquée.) Filippo arrive tout de suite. Mais pour vous faire patienter, il aimerait vous faire goûter à quelques-uns de ses amuse-bouches.

– Merveilleux ! s'exclama-t-elle un peu trop fort.

Après qu'il l'eut fait asseoir, elle regarda autour d'elle. Les murs peints en jaune d'or et le mobilier en bois conféraient à l'établissement une ambiance rustique, évoquant une ferme de Toscane, mais les petites soucoupes de précieuse huile d'olive et les sets de table en soie rappelaient que l'on était dans le New York le plus chic. Et l'odeur de beurre et d'ail qui émanait des cuisines était opulente, elle aussi.

Soudain, un grand serveur en jean et tee-shirt noir apparut avec un plat de petites bouchées enveloppées dans du lard fin.

– Dattes en chemise de pancetta, annonça-t-il en les plaçant devant elle.

Carina ne se fit pas prier pour piquer un fruit avec sa fourchette et se le fourrer dans la bouche. Le goût était riche et sucré, la texture d'un moelleux irrésistible. Il fallait absolument servir cela au gala. En un clin d'œil, elle eut tout dévoré.

Comme par magie, le serveur réapparut.

– Tartare de thon et son guacamole sur lit de tortillas croustillantes.

Carina contempla les petits tas de thon cru surmontés d'une noix de crème d'avocat, et dit une petite prière aux dieux du luxe. Elle nettoya l'assiette en quelques secondes. *Adopté aussi*, pensa-t-elle. Les gens allaient adorer.

Le serveur revint.

– Et maintenant, dit-il avec emphase, nos célèbres macaronis aux quatre fromages.

Il posa l'assiette devant elle avec un geste grandiose.

– Cheddar blanc, gorgonzola, gouda et parmesan. Sans oublier la truffe noire.

Il se saisit d'un petit bol rempli de copeaux brun foncé, qu'il saupoudra sur l'assiette.

– *Buon appetito*, ajouta-t-il avec un sérieux absolu avant de s'éclipser.

Carina s'attaqua sans attendre à la cassolette encore bouillante. À la première bouchée, ce fut une explosion de fromage et de saveur délicieuse, fondante, sur sa langue. C'étaient sans conteste les meilleurs macaronis au fromage de sa vie. De toute sa vie.

Elle ouvrit la carte qu'elle avait mise de côté et y chercha le prix de ce plat. Cinquante-cinq dollars. Elle faillit en cesser de mâcher.

– *Buona sera*, Carina.

Filippo Mucci, un homme à la taille aussi ronde que le père Noël, debout à côté de sa table, lui tendait les bras. Il était aussi large qu'un petit ours, mais ses cheveux attachés en catogan un peu ringard et ses yeux toujours étincelants la mettaient à l'aise.

– Alors, c'est bon ? demanda-t-il en pointant un doigt potelé sur la portion de pâtes qui disparaissait à vue d'œil.

– C'est extraordinaire. Il nous en faut, absolument.

– *Bene*, dit l'homme en tapant dans ses mains. Alors. Combien de personnes ?

– Environ deux cents.

Filippo plissa les paupières et inclina la tête un instant.

– Vendu ! s'écria-t-il. On le fait !

Soulagée, elle lui prit les deux mains.

– Vous me sauvez la vie, vous n'avez pas idée.

– Ne t'inquiète surtout pas, ma Carina, on va le faire, et on va le faire *benissimo*, dit-il, très grand seigneur, en écartant largement les bras.

– Mais vous savez que c'est un gala de charité, ajouta-t-elle prudemment. Il faudrait que ce soit, euh... donné bénévolement...

Filippo secoua la tête.

– Bien sûr, bien sûr, je sais. Ce n'est pas un problème. Mais, ma Carina... (Il lui avait repris la main.) Crois-tu que tu pourrais me rendre un service ?

– Bien sûr. Lequel ?

Les doux yeux bruns de Filippo prirent une expression peinée.

– La dernière fois que j'ai cuisiné pour ton père... au printemps dernier... pour son anniversaire, *ricordi* ?

– Oui, je m'en souviens, avança-t-elle en se demandant bien ce que cela avait à voir avec l'affaire.

– Il y a eu un *problemo* avec la facture, expliqua-t-il à voix basse. Mon associé, il a compté trop cher à ton père – c'est ma faute ! –, et maintenant... (Filippo baissa la tête.) Je l'ai

149

invité à l'inauguration de ce restaurant, mais il ne m'a pas répondu. J'ai peur qu'il ne fasse plus appel à moi. Plus jamais.

Elle n'avait pas entendu parler de cette histoire, mais elle y croyait sans peine. Le Jurg n'appréciait pas ce genre d'erreurs.

– Je suis navrée, Filippo, mais je ne suis au courant de rien...

– Si je fais ce gala pour toi, crois-tu que ton père me refera travailler ?

Il s'agrippait à sa main, les yeux immenses, suppliants.

Carina lui rendit son regard sans savoir quoi répondre. Si elle disait oui, il se chargerait du buffet. Ava serait satisfaite, et Carina pourrait enfin rayer une ligne de son interminable liste de tâches à effectuer. Mais ce n'était pas possible. Son père n'était pas du genre à changer d'avis à propos des gens, surtout s'il les soupçonnait d'avoir tenté de le gruger.

– Je regrette, vraiment, Filippo, dit-elle en dégageant doucement sa main. Je ne peux rien vous promettre.

Le restaurateur fut visiblement désappointé.

– Bah, je le ferai quand même, affirma-t-il, stoïque. Tout le plaisir est pour moi !

Carina se leva.

– Non, Filippo, ça ne fait rien. Et je vous promettrais volontiers de dire un mot en votre faveur, mais mon opinion ne compte pas beaucoup pour mon père en ce moment.

Elle avait du mal à le regarder tant il semblait déconfit. Et cela la tuait de décliner ses services, mais elle savait que ça aurait été mal de faire autrement.

Filippo fut stupéfait de la voir se lever.

– Mais vous partez ? Non, je vous en prie, restez ! Vous aimez le sabayon ?

– Je ne peux pas. Mais merci. C'était absolument délicieux. J'ai apprécié, encore plus que vous ne le croyez.

S'appuyant des deux mains sur la table, Filippo se leva lourdement.

– Surtout, dis à ton père qu'il sera toujours le bienvenu ici, dit-il tristement. Je suis même prêt à fermer le restaurant pour le recevoir en privé.

– Je n'y manquerai pas, promit-elle tout en sachant que son père ne méritait pas une faveur aussi extravagante.

Elle reprit son parapluie et se dirigea vers la porte.

Lizzie avait raison, songea-t-elle en passant devant le petit comptoir du maître d'hôtel. Jamais elle n'aurait dû tenter de s'attirer des faveurs en brandissant le nom de son père. Pas étonnant que Filippo l'ait reçue immédiatement : il voulait juste se réconcilier avec le Jurg. Quant à Matty, il courait simplement après un cachet à six chiffres. Ces gens se moquaient éperdument de Carina. Ils ne se souciaient même pas de son père. C'était son argent qui les intéressait. Quelque part, elle n'en prenait vraiment conscience que maintenant. Dorénavant, elle allait devoir organiser ce gala toute seule.

Elle sortit. L'averse avait viré à l'orage. Son parapluie trop léger fut retourné par une bourrasque, et une pluie froide lui éclaboussa le visage.

– Arrrgh ! gronda-t-elle.

Elle avait fait tout ce trajet pour rien, et elle n'avait plus qu'une envie : rentrer chez elle, prendre une bonne douche chaude, et aller retrouver Carter.

Mais il lui fallait encore un DJ. Elle chercha le flyer chiffonné dans son sac. Elle ignorait toujours où se trouvait East Broadway, mais au point où elle en était, DJ Alexx restait son seul espoir.

Le vent remit soudain son parapluie dans le bon sens. Hudson aurait vu là un bon signe. Et peut-être, songea Carina en s'avançant sur les pavés, peut-être que pour une fois, c'était vrai.

Chapitre 15

Le temps qu'elle ressorte du métro, la pluie avait cessé et il ne subsistait qu'un vent humide et salé soufflant sur East Broadway. Carina jeta son parapluie hors d'usage dans une poubelle et tourna à gauche, puis à droite, à la recherche du club *Neshka*. Le quartier d'East Broadway n'avait rien de commun avec le Meatpacking District. Au lieu de boutiques de luxe et de cafés bondés, cette rue comptait un débit d'alcool plutôt lépreux, une laverie automatique et un minuscule restaurant chinois appelé, d'après son enseigne au néon, *Le Joyeux Tchan*.

Au-dessus de sa tête, le rugissement des voitures qui s'engageaient sur le pont de Manhattan, joliment éclairé en bleu, était assourdissant. À première vue, pas un club à l'horizon. Elle ne s'étonnait plus de n'avoir jamais entendu parler d'East Broadway. Il n'y avait rien à voir par là.

Un grincement de porte l'incita à se retourner. Un peu plus loin, un jeune type barbu et une fille en caban blanc sortirent d'un immeuble. Carina devina qu'ils sortaient du *Neshka*.

– Attendez ! leur cria-t-elle.

153

Le couple lui tint la porte jusqu'à ce qu'elle arrive. Heureusement, il n'y avait pas un videur en vue. Elle dut presque se baisser pour se glisser à l'intérieur, tant l'entrée était étroite.

Le club était si bondé qu'elle eut du mal à passer la porte. Des garçons maigres comme des clous, dépenaillés, en jean moulant, et des filles qui ressemblaient à des chats écorchés, en robe vintage chinée aux puces, barraient le passage, bavardant et dansant en buvant leur bière au goulot. On aurait dit que tous les jeunes branchés dans un rayon de cinq kilomètres étaient venus se retrouver dans ce petit coin désolé de la ville.

Carina se fraya un chemin vers le centre. Si le *Luxelle* faisait de gros efforts pour être chic, cet endroit, en revanche, semblait mettre un point d'honneur à sembler ringard. Des guirlandes de Noël bleues et blanches étaient accrochées aux murs en faux bois. Une boule disco tournait au centre du plafond, et des pages arrachées à un catalogue de vêtements russe étaient encadrées sur les murs. On se serait cru dans la salle de jeux d'une grand-mère slave un peu cinglée. Et même la musique était étrangement rétro. Le morceau qui tournait ressemblait fort à un vieil enregistrement de la Motown. On entendait une basse puissante, des cuivres éclatants et une femme qui chantait : « *One hundred days, one hundred nights...* » Une poignée de danseurs ondulaient au centre de la salle en articulant toutes les paroles.

Carina finit par trouver Alex. Il était aux platines, tout au fond de la salle, et avait la dégaine d'un petit frère prenant les commandes un instant pour s'amuser. Il tenait un casque près de son oreille et hochait la tête en cadence, le regard fixe, l'air absolument concentré. Il semblait presque transporté dans un autre monde. Sur la table, devant lui, plusieurs caisses étaient remplies de vinyles. C'était peut-être dû à tout cet équipement et à sa façon de se perdre dans la musique, mais, en tout cas, il était encore plus mignon ce soir que la veille au *Luxelle*. À part son tee-shirt, décoré de la pochette de *The Queen is Dead*. *Évidemment*, songea Carina. C'était presque une loi que les types du genre artiste soient fans des Smiths.

– Salut ! lui lança-t-elle.

– Te voilà ! dit-il, sincèrement étonné, en posant son casque sur la table. Je ne pensais pas que tu viendrais.

– Eh bien tu sais, il m'arrive de descendre dans le centre pour d'autres raisons que le shopping, le taquina-t-elle en posant son sac pour passer derrière les platines. Au fait, tu avais raison. C'est cool, ici.

– Entrée libre, consos à six dollars, et le meilleur son du Lower East Side. C'est toujours plein.

– Alors, qu'est-ce qu'on écoute ?

– Sharon Jones and the Dap-Kings.

– Super, j'adore ce vieux son.

– Ce n'est pas vieux. Ils sont passés en concert au Radio City la semaine dernière.

– Ah.

Elle piqua du nez et se tourna vers les vinyles pour cacher son embarras.

– Il va falloir que je t'apprenne qu'il existe autre chose que Lady Gaga, à ce que je vois.

– Et moi, va falloir que je t'apprenne que les Smiths, vraiment, c'est totalement *over*. Tu n'as pas d'iPod, ou quoi ?

155

– Première leçon, dit-il en prenant un disque dans une caisse. *Uniquement* des vinyles.

– Pourquoi ? Parce que c'est rétro ? demanda-t-elle, sarcastique.

– Non, parce que c'est plus facile. Pour être DJ, il faut savoir mixer.

– C'est-à-dire ?

– Regarde.

Il posa le 33-tours sur la platine vide, à côté de celle qui tournait. Puis il appuya sur un bouton. Le disque se mit en mouvement.

– C'est ça, mixer.

Il tint le casque contre l'oreille de Carina. Elle entendit un nouveau morceau monter sous le son de Sharon Jones et les Machinchose, mais la ligne des basses était plus rapide.

– Écoute, dit-il encore.

Il fit lentement monter un curseur, sur la console, entre les deux platines. À présent, on entendait les deux disques simultanément. Les basses du nouveau morceau avaient ralenti pour se caler sur celles du premier, tout en restant légèrement différentes. Carina reconnaissait la chanson, à présent : James Brown, *I Feel Good*. Le public aussi entendit, et une petite ovation de joie emplit la salle.

– C'est pas génial ? demanda-t-il en observant la piste de danse. C'est ça, être DJ. Veiller à ce que les morceaux se fondent entre eux, caler les pistes au bon moment.

– Et comment tu sais quels morceaux s'enchaîneront bien ?

Alex haussa les épaules.

156

– L'expérience. Tiens, regarde ça. (Il lui posa la main sur un autre curseur.) Tu peux régler les basses et les aigus, tu vois ?

Et il posa sa main sur celle de Carina.

Ce contact chaleureux lui donna le frisson. *Mais je ne craque même pas pour lui*, se raisonna-t-elle.

– Là, on enlève toutes les basses, continua-t-il en déplaçant sa main vers la droite.

En effet, elle n'entendait plus les basses mais uniquement les cymbales au son plus aigrelet.

– Ce sont les aigus, lui dit-il dans l'oreille. Maintenant, les basses sans les aigus.

Il fit bouger sa main en sens inverse, et elle n'entendit plus qu'un battement sourd.

– Tu comprends tout ce qu'il y a dans un morceau ? C'est comme un paysage. Et c'est toi qui le contrôles. C'est ça, être DJ.

Il laissa sa main sur celle de Carina, ce qui lui envoya une sensation étrange au creux du ventre.

– Ouah, conclut-elle.

Elle n'avait jamais fait le rapprochement entre une musique et un paysage auparavant.

Ils passèrent l'heure qui suivit à mixer ensemble. Elle alignait les disques sur la platine, puis regardait Alex déposer l'aiguille dans le sillon et tourner les boutons, apprivoisant les sons pour les fondre dans l'air qui résonnait déjà, de telle manière que les deux soient audibles en même temps, se soutiennent, se complètent. Alex semblait deviner précisément les attentes des danseurs. Lorsqu'il mixa la basse funky (*womp-a-womp-a*) de *Brick House* avec le rythme disco de

Don't Stop'til You Get Enough, il fut acclamé. Carina ne dansait pas beaucoup, mais elle eut presque envie de sauter sur la piste pour se joindre à la foule. Elle ne s'était jamais amusée ainsi quand Matty Banks mixait dans les soirées de son père.

– D'accord, tu as raison ! finit-elle par crier par-dessus la musique. Tu es vraiment doué ! Tu es libre le 20 décembre ?

– Alors, tu veux bien de moi ? demanda-t-il avec un grand sourire.

– Tu es embauché ! Mais il faut qu'on parle encore d'une chose. C'est un gala de charité. Ce qui veut dire que tu devras travailler gratuitement.

– Pas de problème, répondit aussitôt Alex en déposant un nouveau disque sur la platine. Du moment que tu me présentes des jolies filles !

Voilà qui était inattendu. Surtout après tous ces contacts entre leurs mains.

– Tu penses ! À condition que tu aimes les petites bêcheuses de l'Upper East Side, bien sûr.

– Il y a une chose que je ne comprends pas, dit-il en portant le casque à son oreille. Tu comptais demander à Matty Banks de travailler *à l'œil* ?

– Mon père est plus ou moins ami avec lui. Ce n'était pas compliqué.

– Mais c'est qui, ton père ?

Carina feuilleta les albums dans la caisse. C'était toujours le même dilemme : mentir et se faire passer pour une autre, ce qu'elle ne pouvait jamais se résoudre à faire, ou dire la vérité, et savoir que l'autre ne la verrait plus jamais comme avant. En général, quand les gens découvraient qui

158

était son père, ils l'aimaient soit beaucoup moins, soit beaucoup plus. Elle ne savait toujours pas ce qui était le pire.

– Karl Jurgensen, dit-elle tranquillement en le regardant droit dans les yeux.

– *Hein ?!* s'exclama Alex, les yeux écarquillés. Et tu ne peux pas *payer* les gens ?

– Ce n'est pas une fête pour moi. C'est pour une organisation de charité.

– Il n'a pas gagné genre deux milliards de dollars l'an dernier ?

– Quel rapport ? répliqua-t-elle sèchement.

– Rien, je supposais qu'il t'aurait aidée, c'est tout.

– Eh bien non. Alors ne suppose plus rien, OK ?

– D'accord, d'accord, fit Alex, qui s'était rembruni. Mais tu vas quand même trouver les amis de ton père pour qu'ils t'arrangent le coup.

– Parce que c'est ce que veut la fille qui dirige le tout. Elle veut le meilleur DJ, le meilleur traiteur, les plus belles fleurs. Et elle croit que je peux faire ça pour elle grâce à mon père.

Un peu parce que je le lui ai laissé entendre.

– Dis-lui juste qu'une fête n'a pas besoin de chichis pour être réussie, lui conseilla Alex en prenant un nouveau disque. Regarde cet endroit ! On s'y amuse cent fois plus qu'au *Luxelle*. Parce que personne n'essaie de se faire passer pour ce qu'il n'est pas. Il n'y a pas de frime, ici. Tout le monde se sent libre d'être lui-même pour passer un bon moment.

Carina observa l'assistance joyeuse, qui dansait à fond. Elle comprenait tout à fait ce que voulait dire Alex. Mais elle savait aussi qu'Ava aurait trouvé que cette boîte manquait de chic, et que ça ne lui aurait pas plu du tout. Pour sa part, elle commençait à être gagnée par l'état d'esprit d'Alex.

– Ça te dirait de me donner des conseils pour réussir la fête ? demanda-t-elle prudemment. De me... suggérer simplement d'autres manières de m'y prendre ?

Alex secoua la tête.

– Tu m'as bien vu ? Je ressemble à un organisateur de soirées ?

– Tu n'aurais rien à organiser. Juste m'inspirer un peu. C'est quoi, ton numéro ? Je vais te donner...

Elle se tut tout net. Carter ! Elle l'avait complètement oublié. Elle regarda sa montre. Presque neuf heures et demie. Elle en sursauta, se cogna contre la table et fit sauter le disque.

– Oh, non ! Il faut que je parte ! Je devais retrouver quelqu'un ! Pardon !

Elle ramassa son sac par terre.

– Eh bien, avant de filer, prends ça, dit Alex en sortant une carte de visite d'une petite boîte noire posée sur la table. C'est mon portable. La plupart du temps, je décroche.

Elle regarda la carte : un numéro, et au-dessus, les mots *DJ Alexx* en majuscules.

– Tu sais, entre nous, je ne suis pas fan du second « x ».

Alex inclina la tête.

– Tu te prends pour mon manager, maintenant ?

Elle sourit et s'engouffra dans la foule.

– Je t'appelle ! cria-t-elle encore.

Toujours le sourire aux lèvres, elle se fraya un chemin entre les danseurs. Elle avait enfin trouvé son DJ, et elle ne doutait pas d'avoir fait le bon choix. Alex était peu diplomate et légèrement frimeur sur les bords, mais il était aussi gentil et talentueux, et quelque chose lui disait même qu'ils pourraient bien devenir amis.

Aussitôt qu'elle se retrouva dans la rue déserte, elle composa le numéro de Carter tout en se dirigeant vers le métro, les cheveux fouettés par le vent humide.

Elle tomba sur sa messagerie. « Salut, c'est Carter. Allez-y. *Biiip !* »

« Bonsoir, Carter, c'est Carina. Je suis totalement désolée, j'ai oublié l'heure, je sors juste d'un truc chez un pote et je suis encore à l'autre bout de la ville, alors je suppose que c'est un peu tard... »

Un bip strident résonna, un déclic, puis un étrange bourdonnement.

– Saleté de téléphone, marmonna-t-elle en refermant le clapet.

Elle aurait pu rappeler, mais elle avait sa fierté. Elle pouvait aussi envoyer un SMS, mais ce serait sans doute en faire trop. Elle n'avait qu'à ne rien faire. Demain, elle lui expliquerait tout.

En remettant le téléphone dans son sac et en traversant la rue, elle se rendit compte qu'elle n'était même pas si déçue que cela. Faire le DJ avec Alex avait été son expérience la plus amusante depuis des semaines. C'était peut-être même mieux que regarder un film avec Carter.

Juste avant de descendre dans le métro, elle jeta un dernier regard à la porte sans inscription du *Neshka*, cachée dans cette rue sinistre. Elle avait la sensation d'avoir découvert un tout nouveau New York, ce soir. Et cela, grâce à Alex. Elle espérait bien le revoir.

Chapitre 16

Durant le restant de la semaine, Carina évita Ava. C'était, en soi, un travail à plein temps. Chaque fois qu'elle l'apercevait dans les couloirs – boucles bondissantes, kilt au vent, bavardant avec Kate et Cici qui l'entouraient telles des demoiselles d'honneur –, Carina s'engouffrait dans la cachette la plus proche, que ce soit une classe, les toilettes des filles ou même, une fois, le placard à balais. Hudson et Lizzie la prenaient pour une folle, mais Carina savait qu'il lui fallait gagner du temps. Avant d'inventer une histoire pour expliquer à Ava que Filippo ne pouvait pas les aider, elle avait besoin de l'alternative parfaite à ses macaronis hors de prix. Et, si possible, une alternative qu'elle trouverait par elle-même. La carte d'Alex était toujours dans son sac, mais elle ne pouvait se résoudre à l'appeler. Peut-être par orgueil, peut-être par entêtement. Ou peut-être même, pensait-elle parfois, était-ce une forme d'éthique professionnelle.

Le samedi matin, Carina invita ses amies chez elle pour le brunch. Un délicieux brunch chez *Sarabeth* étant au-dessus de ses moyens, elle avait décidé de le préparer toute seule.

Et d'en profiter pour leur demander leur avis sur le pro-blème du buffet.

– Je pourrais prendre des cours de cuisine, dit-elle, plon-gée dans ses pensées, tout en cassant un œuf contre le bord d'une jatte. Ou simplement suivre une recette. Non mais sérieusement, vous croyez que c'est difficile de cuisiner soi-même ?

– Oui, très, confirma Lizzie, dont les mains et les cheveux étaient déjà couverts de farine à pancakes. Un brunch pour trois, c'est une chose. Un buffet pour deux cents personnes, c'est une autre paire de manches. Je crois que tu as laissé un morceau de coquille, là.

– Ne fais pas ça, C., l'avertit Hudson en versant un sac de myrtilles congelées dans un plat en verre. Sois honnête avec Ava, c'est tout. Et puis, pourquoi est-ce qu'elle ne peut pas faire un buffet aux chips et au Coca light, comme tout le monde ?

– Parce qu'elle veut qu'on en parle dans le *Times*, leur rap-pela Carina en prenant un accent snobinard, tout en commençant à fouetter la pâte. Je devrais peut-être démis-sionner. Sauf que je tiens vraiment à partir au ski. Je crois que Carter m'a oubliée. Cette semaine, je n'ai eu droit qu'à quelques vagues saluts dans les couloirs.

– Il était peut-être débordé, hasarda Lizzie en versant du jus d'orange dans de petits verres.

– Ou peut-être croit-il que c'est *toi* qui l'as oublié, dit Hudson en coinçant une de ses mèches brunes derrière son oreille avant de mettre le plat de myrtilles au micro-ondes. Tu lui as quand même posé un lapin, l'autre soir.

– Je ne lui ai pas posé un lapin, j'ai juste oublié l'heure.

– C'est sans doute mieux comme ça, conclut Lizzie. Tu as déjà assez de soucis avec Ava. Et je ne pense pas que Carter McLean soit une si belle prise. Je ne le sens pas, ce mec.

Carina fut piquée par une pointe de contrariété alors qu'elle se remettait à fouetter la pâte. Qu'est-ce que c'était que cette remarque ?

Elle décida de ne pas relever.

– Comment va Todd, Liz ? Ça s'arrange, les histoires de son père ?

– Il a été libéré sous caution, Dieu merci, mais il est assigné à résidence. Et sa mère est arrivée de Londres : tout ça est un peu stressant pour Todd.

– C'est dur.

Carina était incapable d'avoir l'air vraiment désolée pour lui.

Lizzie se hissa pour s'asseoir sur le plan de travail en marbre.

– Dis, je voulais te demander... Ça t'ennuie qu'il soit souvent avec nous ?

Carina arrêta son geste pour la regarder.

– Hein ? Non, pourquoi ?

Lizzie haussa les épaules.

– Parfois, quand il est là, tu as l'air de faire la tête.

– Ah bon ? demanda-t-elle alors qu'elle savait parfaitement ce que son amie voulait dire.

– Oui.

– Alors ça, c'est bizarre, parce que j'aime beaucoup Todd, se défendit-elle avec véhémence. Vraiment, je l'adore.

Elle sentait le regard de Hudson peser sur elle.

Lizzie, aussi, la scrutait de ses yeux noisette.

– Tu es sûre ? Parce que s'il te dérange, il faut que tu me le dises. Je ne voudrais pas être comme ces filles qui tombent amoureuses et traînent leur copain absolument partout.

– Minute. Tu as dit *amoureuse* ? la reprit Hudson, bouche bée.

Lizzie acquiesça avec enthousiasme.

– Oui. Je crois bien que je suis mordue, les filles.

– *Déjà* ? éclata Carina.

Les traits de Lizzie se crispèrent.

– C'est un problème ?

Elle semblait plus blessée que fâchée.

– Non, se hâta de répondre Carina en se concentrant sur sa pâte. Simplement, je ne me doutais pas que vous étiez gagas l'un de l'autre.

Hudson lui lança un regard d'avertissement.

– On n'est pas gagas, répondit Lizzie d'un ton irrité en sautant du comptoir. On s'aime énormément, c'est tout.

– Alors c'est super, se hâta de dire Carina en sortant les myrtilles du micro-ondes. Je le trouve très sympa.

Lizzie et lui venaient *tout juste* de commencer à sortir ensemble. Et c'était le grand amour, maintenant ? Carina laissa tomber les baies dans la pâte.

– C., je crois qu'il fallait les rincer, pointa Hudson.

La pâte avait déjà pris une teinte bleu vif.

– Oups ! Ça vous ennuie de manger des pancakes bleus ?

Au même moment, l'antiquité téléphonique de Carina, posée sur le comptoir, se mit à carillonner de manière tonitruante.

– Bon Dieu, C. ! s'exclama Lizzie en se frottant l'oreille. Débarrasse-toi de ce truc !

– J'aimerais bien..., soupira-t-elle en ouvrant le clapet.

Je voulais faire le point hier. Où en est-on avec le Café Luz ? Ils s'occupent du buffet ??? Tiens-moi au courant, c'est URGENT. A.

– C'est qui ? voulut savoir Hudson, qui déposait des ronds de pâte sur la plaque brûlante. Carter ?
– Ava. Elle demande où j'en suis avec le buffet.
– Dis-lui franchement la vérité. Avoue-lui que tu n'en es nulle part.
– C'est ça. Elle ne va pas du tout péter un câble.
Carina pressa la touche « répondre » et se mit à taper.

Trouvé un nouveau traiteur GÉNIAL ! Pas connu du grand public. T'en parle lundi.

– Au moins, ça me laisse le week-end, dit-elle en appuyant sur « envoyer ».
– Mais elle va vouloir savoir où c'est ! s'inquiéta Lizzie.
Quelques secondes plus tard, nouveau message :

Faisons une dégustation ce soir. Chez toi. Six heures.

– C'est quoi, une dégustation ?
– C'est une réunion pour goûter un échantillonnage de petits fours apportés par un traiteur, lui expliqua Hudson.
Carina referma brutalement son téléphone.
– Alors il me faut quelque chose à déguster pour dix-huit heures.
Lizzie tira sur une de ses boucles.

167

– Qu'est-ce que tu vas faire ?

Pour l'instant, Carina faisait les cent pas en écoutant grésiller les pancakes. Elle était officiellement à court d'idées. Peut-être Alex était-il aussi créatif avec la cuisine qu'avec la musique ?

– Je reviens.

Elle monta à grands pas dans sa chambre. Pourvu qu'il décroche ! Elle retourna tout son sac sur son lit. La carte de DJ Alexx tomba par terre, en même temps que la carte de métro abondamment utilisée et quelques bonbons à la menthe. Elle composa le numéro sur son fixe.

– Grmmm ?

Apparemment, le garçon se réveillait à peine.

– Alex ? C'est Carina. L'organisatrice de soirées.

– Salut, fit-il d'une voix ensommeillée. Quoi de neuf ?

– Tu te rappelles, quand tu me disais de faire moins de chichis ?

– Ouais...

Elle s'assit.

– Eh bien... j'ai besoin de trouver quelque chose de bon à manger. Pour ce soir. Et pour rien. Tu pourrais m'aider ? Genre, tout de suite ?

Carina traversa la 16e Rue et entra d'un pas pressé sur Union Square, en veillant à ne pas trébucher sur les laisses de chiens et les poussettes. Le temps étonnamment doux pour la saison avait poussé tous les New-Yorkais à sortir, et le marché du samedi était noir de monde : chacun voulait acheter du pain frais et des pommes cueillies du matin. Alex lui avait donné rendez-vous du côté de la

168

14ᵉ Rue, et elle zigzagua entre les badauds, bien décidée à ne pas être en retard. Elle ne savait pas trop ce qu'il avait en tête, mais elle s'était sentie mieux aussitôt qu'elle avait raccroché. Alex semblait être du genre à savoir résoudre tous les problèmes, même ceux qui impliquaient Ava Elting.

Elle passa à toute vitesse devant une troupe de danseurs africains qui se produisaient sous la statue de Gandhi et atteignit les marches qui longeaient la place vers la 14ᵉ Rue. Cette zone se transformait en skate park le week-end et, comme de juste, quelques types s'entraînaient à faire des acrobaties sur le béton. Elle balaya du regard les silhouettes assises sur les marches, guettant la chevelure noire d'Alex. Soudain, elle entendit crier son nom, ou presque.

– Eh, Park Avenue !

C'est alors qu'elle vit l'un des skateurs lui faire signe juste avant de sauter sur sa planche, l'agripper par les côtés et exécuter un demi-tour parfait. Donc, Alex n'était pas seulement un obsédé de la musique. Il était aussi skateur. La théorie de Carina selon laquelle les artistes détestaient le sport en prenait un coup.

– Pas mal, dit-elle en descendant quelques marches pour aller à sa rencontre.

D'une pression de l'orteil, il redressa son skate verticalement.

– Merci. Je manque d'entraînement, en ce moment.

– Alors c'est ça que tu fais tous les samedis ? Essayer d'épater les filles ?

Elle voyait en effet, par-dessus son épaule, un public majoritairement féminin sur les marches.

– Non, seulement toi. Allez, je plaisante ! Bon, dis-moi ce qu'il y a de si urgent.

Elle dut s'avouer qu'elle était un peu offensée. Pourquoi ne craquait-il pas pour elle ? Au moins un peu ?

– La fille, Ava, veut venir à une dégustation ce soir. Naturellement, elle s'attend à de la gastronomie cinq étoiles. Que je n'ai pas.

– Aucun problème, décréta Alex en se dirigeant vers le coin de la place. Allons chez *Joe l'Épicier*. Il n'y a pas moins cher.

– *Joe l'Épicier* ? Tu es sûr ?

Il la fit taire d'un regard.

– Et toi, tu ne serais pas un peu snob ? Fais-moi confiance.

Ils attendirent pour traverser, en regardant passer les taxis.

– Alors, à part la musique et le skate, tu t'intéresses à quoi ? Tu as une copine ?

La question n'était pas des plus subtiles, mais Carina était curieuse.

Alex, surpris, haussa les sourcils.

– Pas en ce moment. Mais pour répondre à ton autre question, je crois qu'on peut dire que c'est New York qui m'intéresse.

– New York ?

– Vivre ici. Apprécier. Profiter de tout ce que cette ville a à offrir. (Il monta sur son skate pour traverser la 14e Rue.) Regarde ce type, tu vois ? (Ils croisaient un homme qui tenait en laisse un danois, un fox-terrier, un yorkshire et un bouledogue à l'air revêche.) Tu crois qu'on voit ça ailleurs ?

– Oui, je vois ce que tu veux dire.

– Tous les week-ends, j'essaie de faire une chose que je n'ai jamais faite. Rien qu'une.

– Ça doit te revenir cher.

– Pas vraiment, dit-il en sautant sur le trottoir. Il y a des tonnes de choses à faire gratuitement. Il suffit de savoir où chercher. Par exemple, le skate. Ou une balade à vélo sur la West Side Highway. Ou du roller dans Central Park.

– Tu viens de citer trois choses qu'on ne peut pas faire l'hiver.

– Et trouver à manger gratis, ajouta-t-il en prenant la direction des portes automatiques du magasin *Joe l'Épicier*.

– Gratis ? répéta-t-elle, soudain intéressée. Où ça ?

– Alors là, je sais que tu n'as jamais mis les pieds chez *Joe l'Épicier*. (Il la prit par le bras.) Viens avec moi.

Ils entrèrent, et le garçon l'entraîna dans une allée. Au bout, dans un petit kiosque, un homme chauve en tablier faisait frire quelque chose sur un fourneau.

– Ils cuisinent directement dans le magasin ? s'émerveilla-t-elle.

– Eh oui.

Il la guida vers une série de gobelets en carton alignés sur un plateau, remplis de nouilles chinoises qui sentaient délicieusement bon.

– De la soupe de nouilles, constata Alex en les reniflant. On a de la chance. (Il prit une fourchette à côté et goûta une bouchée.) Fameux.

Carina l'imita. C'était effectivement un délice.

– Mmm, tu as raison, dit-elle en avalant. Ils en ont toujours ?

– Il y a toujours quelque chose. Quand je suis fauché et que je veux manger un morceau, je trouve toujours de quoi me régaler ici.

– C'est bon à savoir, approuva Carina en prenant mentalement des notes.

Elle ne voulait pas dire à Alex à quel point elle avait besoin de nourriture gratuite ces temps-ci.

– Bon, je suppose que le mieux serait de prendre du surgelé, non ? suggéra Alex après avoir englouti trois gobelets de plus.

– Hein ? fit Carina la bouche pleine.

– Pour ta fête.

– Ah, oui.

– Alors viens.

Elle jeta son gobelet vide et le suivit dans une autre allée. Celle-ci était bordée de congélateurs remplis de plats surgelés.

– Bien. Tout d'abord, les minitacos au poulet. Dix pour trois dollars soixante-neuf, et ils sont carrément déments. (Il brandit une boîte.) Ensuite, les bouchées feta-oignons caramélisés. (Il en brandit une autre.) Douze pour cinq dollars.

– Ce sont bien des petits fours ? demanda-t-elle avec hésitation.

– Ah, et ça, c'est génial, poursuivit-il en sortant une autre boîte. Les soufflés trois fromages. Même prix. Succès assuré.

Il tendit les trois boîtes à Carina.

Celle-ci les regarda. Elle ne savait pas bien si c'était du réchauffé qu'Ava avait en tête, mais à ce prix, elle n'allait pas discuter.

172

– À ton avis, ça coûterait combien de servir ça à deux cents personnes ? demanda-t-elle.

– Environ deux cent cinquante dollars. (Alex plongea les bras dans le congélateur et se mit à tout rafler.) On doit pouvoir en acheter la moitié tout de suite...

– Pas la peine, l'arrêta Carina. Je prends juste ces trois boîtes, je m'occuperai du reste plus tard.

C'était tout ce qu'elle pouvait payer pour l'instant. Quant au reste, il faudrait qu'elle trouve une solution.

Ils se dirigèrent vers la caisse.

– Alors, tu crois que la miss Sac Birkin voudra bien d'un buffet discount ? lui demanda Alex.

– Je saurai la convaincre. Je suis sûre qu'elle va adorer.

Carina savait bien que le seul moyen de faire avaler ces bouchées à Ava serait de lui cacher qu'elles venaient de chez *Joe l'Épicier*. Elle allait devoir inventer un traiteur. Un traiteur imaginaire, mais *fabuleux*.

– Si je comprends bien, elle veut que tu obtiennes des tas de choses très chères pour rien, résuma-t-il en se grattant la tête.

– Voilà.

– Je ne pige pas. Je croyais que ces grands galas de charité disposaient d'un budget confortable. Là, on dirait qu'ils n'ont pas les moyens de payer les gens.

Carina, dans la file d'attente, tripotait une barre chocolatée prise sur un présentoir en s'efforçant de ne pas penser aux mille dollars négociés avec Ava.

– Je pense que tout le monde essaie de faire des économies, dit-elle vaguement.

– Mais si cette fille t'énerve tellement, pourquoi as-tu accepté d'organiser sa soirée ? (Il la scruta de tout près.) Qu'est-ce que tu y gagnes ?

Des vacances dans les Alpes.

– Elle m'a coincée, répondit-elle, gênée. Parfois, je ne sais pas dire non.

C'était parfaitement faux, mais elle n'avait pas mieux.

Alex secoua légèrement la tête, visiblement perplexe.

– Quoi ? Qu'est-ce qu'il y a ? demanda-t-elle.

– Je me trompe rarement sur les gens. Mais je me trompais sur toi. Tu es à l'opposé de tout ce que je croyais.

– C'est-à-dire ?

– Tu sais bien. Tu es la fille de Karl Jurgensen. Un homme qui pourrait acheter toute ma famille et la revendre. Et ton sac coûte sûrement plus que le loyer de ma mère.

– Et donc, je suis censée être vilaine ?

– Peut-être pas vilaine, concéda-t-il. Mais au moins, bêcheuse. Et en fait, non. Tu es... sympa.

Avant qu'elle ait eu le temps d'apprécier le compliment, son sac se mit à carillonner. Son téléphone était tellement bruyant que l'homme qui les précédait dans la file d'attente se retourna.

– Minute. C'est ton téléphone ? demanda Alex. Ils n'ont pas arrêté de faire cette sonnerie quand on était en CE2 ?

– Laisse tomber.

Elle éteignit l'appareil dans le fond de son sac.

– Montre ! Sors-le. Fais-voir ! Je veux le voir.

– Non.

– Allez...

À contrecœur, elle sortit l'antiquité et la lui tendit.

– Voilà, tu es content ?

Alex contemplait l'appareil dans sa paume comme s'il s'était agi d'un fossile.

– Oh, mon Dieu. Il date au moins de 1988, dit-il, émerveillé.

Elle le lui arracha des mains.

– Et alors ?

– Et alors, qu'est-ce que tu fabriques avec ça ? Tu n'as pas un iPhone ? Si tu veux, je t'emmène à l'Apple Store, tu sais ! Il y en a un sur Prince Street, au cas où tu n'en aurais jamais entendu parl...

– J'ai déjà un iPhone, grommela-t-elle.

Elle rangea son téléphone, les joues en feu.

– Mais dans ce cas, pourquoi tu te balades avec *ça* ?

– Parce que mon père m'a coupé les vivres, lâcha-t-elle enfin, sans le regarder.

Il y eut un silence gêné pendant lequel ils passèrent à la caisse.

– Treize dollars vingt-sept, dit le caissier. En espèces ou par carte ?

– En espèces.

Heureusement, Carina avait reçu son argent de la semaine deux jours plus tôt, mais elle avait déjà dépensé cinq dollars pour les œufs et la farine du brunch. Elle en sortit quinze de son portefeuille : toute sa fortune. Le caissier lui rendit la monnaie, elle empoigna le sac de victuailles et ils sortirent sans un mot. Le silence d'Alex pouvait signifier deux choses : soit qu'il était légèrement offensé, soit qu'il ne comprenait plus rien. Une pluie légère commençait à tomber.

– Coupé les vivres ? Qu'est-ce que ça veut dire ?

– Ça veut dire pas d'iPhone, pas de carte de crédit. Pas d'argent.

Du bout de sa Puma, elle aplatit un papier de chewing-gum par terre.

– Pourquoi ? Qu'est-ce que tu as fait ?

Elle écarta une mèche humide de ses yeux et réfléchit à la réponse qu'elle pouvait donner.

– Quand on en veut à quelqu'un, depuis longtemps, il suffit d'un incident de trop pour voir rouge, tu comprends ce que je veux dire ?

Alex ne cilla pas.

– Oui.

– Eh bien, il a fait quelque chose qui m'a fait voir rouge.

– Quoi ?

À sa manière de demander, on avait l'impression que le sujet l'intéressait vraiment. Peut-être, même, était-il de son côté. Elle regarda au loin dans la rue. Un marchand de falafels tendait une pita remplie de hoummous à un grand baraqué. Une SDF poussait un chariot en marmonnant. Carina prit conscience qu'elle avait envie de dire à Alex toute la vérité : le divorce, l'infidélité de son père. La manière dont le Jurg avait détruit sa famille. Mais elle le connaissait trop peu.

– Rien, dit-elle rapidement. Ce n'est pas important.

– Et... la miss Hermès le sait, que tu es fauchée ? insista-t-il alors qu'un léger sourire se formait aux coins de ses lèvres.

Carina secoua négativement la tête.

– Ce n'est pas une chose dont je me vante, si tu vois ce que je veux dire.

Il la regarda fixement, puis hocha la tête pour acquiescer.

– Bah, tu me diras ce qu'elle pense de ces minitacos, conclut-il enfin en sautant sur son skate. Et si tu as besoin d'autre chose, appelle-moi.

– D'accord. Merci, Alex.

Il enfonça ses écouteurs dans ses oreilles.

– De rien, dit-il en prenant de l'élan avec un pied.

Et il s'éloigna en roulant sous la pluie. En le regardant partir, Carina se sentit vulnérable, exposée. Un peu comme s'il était entré dans un vestiaire et l'avait vue se changer avant la gym. Comment avait-elle fini par lui en dire tant ? Était-ce lui qui était indiscret ? Ou bien... avait-elle ressenti le besoin de se confier à lui ? Et était-il possible qu'elle craque un peu pour lui ?

Non, décida-t-elle en le regardant traverser la 3e Avenue pour rejoindre le métro. En le voyant, elle n'avait pas le cœur battant et la gorge serrée comme avec Carter. Mais elle lui avait raconté son secret, et elle ne savait plus ce qu'ils étaient l'un pour l'autre. Sans conteste, plus que de simples connaissances, mais pas tout à fait des amis. Pas encore. Ils étaient autre chose.

Et cet autre chose la déstabilisait mais la réconfortait, aussi, d'une manière étrange.

Elle se rappela soudain qu'elle avait reçu un SMS dans la boutique. Sur l'écran de son téléphone, elle découvrit le nom de celui auquel elle venait de penser. Carter.

Kess tu fais ?

Une décharge d'électricité dans la poitrine. Apparemment, donc, il ne l'oubliait pas.

Qqch avec toi ☺, répondit-elle avec audace.

Moins d'une minute plus tard, nouveau message.

Dîner ce soir. Serendipity. Vingt heures.

De nouveau, l'estomac de Carina fit du saut à l'élastique.

J'ai trop hâte.

Chapitre 17

Elle comparait les deux tenues disposées sur son lit, sans savoir laquelle choisir pour son dîner avec Carter, lorsqu'on sonna à l'interphone accroché au mur de sa chambre.

– Ava Elting ! Elle monte, la prévint la voix d'Otto.

Il ne parlait pas souvent, mais quand il le faisait, c'était avec une voix de stentor.

– OK ! brailla-t-elle en retour avant de se remettre à passer ses vêtements au crible.

Elle avait réduit son choix à ces deux possibilités : soit la petite robe noire sexy qu'elle avait déjà portée au dernier bal de Chadwick, soit l'option moins habillée d'un jean avec un cachemire jaune à col en V.

Elle tint la robe devant elle pour s'observer dans le miroir en pied de la porte de sa penderie. Depuis qu'elle était dans la dèche, elle n'avait rien porté de plus chic qu'un jean avec un joli haut, si bien que la robe lui faisait l'effet d'être très habillée. Trop ? Et Carter l'avait-il vue dedans lors du bal ? Elle ouvrit son MacBook Air sur son lit dans l'intention d'en discuter par messagerie avec Hudson, mais constata qu'elle avait un mail. De Laetitia Dunn.

Elle cliqua sur le message.

À : la bande de Chamonix
De : TishD
Salut à tous !!! Un mot pour vous prévenir que je nous ai réservé à tous des chambres au Ritz-Carlton pour la nuit du 26 décembre, vu que le chalet de Carter ne sera pas prêt... Suites Junior pour tout le monde, sauf si vous vous appelez Anton et qu'il vous faut plus de place pour vos fringues (MDR LOL !)... J'ai payé sur ma carte alors PLEASE aboulez l'oseille ASAP !
Merci ! LD

Carina attrapa automatiquement sa balle antistress. Le Ritz-Carlton ? Il n'en avait jamais été question. Elle ne pourrait pas se payer ça.

L'interphone résonna de nouveau.

– Votre amie est là ! tonna Otto.

– J'arrive !

Elle avait envie d'affronter Ava comme de se jeter dans l'East River, là. Mais autant se débarrasser de cette corvée. Elle enfila le cachemire jaune et le jean, et dévala l'escalier.

Ava, dans le couloir, observait attentivement le Warhol. Son jean en velours bordeaux était si moulant qu'il semblait peint sur elle, et ses cheveux étaient relevés par des petits nœuds derrière un bandeau incrusté de strass.

– Hum, c'est un vrai ? demanda-t-elle en désignant le tableau.

– Je crois.

– Classe, commenta Ava en agitant ses mèches d'un air

180

hautain pour masquer son admiration. Bon, je n'ai pas beaucoup de temps. On commence ?

– Ça me va. Tout est prêt.

Carina l'entraîna dans la salle à manger.

Ava regarda rapidement le plafond peint à la Michel-Ange, le lustre géant en cristal et la table de vingt couverts, mais ne dit rien.

– Bien, lança-t-elle en s'asseyant et en sortant de son énorme sac une grande bouteille d'eau vitaminée. Où sont les petits fours ?

– Ça vient, répondit Carina avec une ironie qu'Ava ne saisit pas.

Elle passa à la cuisine, prit le plateau qu'elle avait préparé peu avant et, en revenant vers la salle à manger, répéta son petit numéro.

– Voilà : feuilletés feta-confiture d'oignons, minitacos au poulet bio et au maïs moulu à la pierre, soufflés quatre fromages ! annonça-t-elle avec emphase en déposant le plat devant Ava, tel un serveur de grand restaurant.

Ava scruta du regard les petites bouchées.

– Ça vient du *Café Luz*, ça ? demanda-t-elle, méfiante.

– Non, d'un restau encore plus haut de gamme, dans le West Village, qui n'est même pas ouvert pour l'instant. Mais qui a déjà une réputation plus folle. Et qui appartient en partie à Jessica Biel.

Ava prit un feuilleté, le renifla et mordilla dedans.

– Mmm, dit-elle en le regardant d'un air surpris. Délicieux. Comment s'appelle ce restau ?

– Oh, il n'a même pas encore de non. Ni de numéro de

181

téléphone. C'est tellement énorme que, pour l'instant, ils visent la discrétion absolue.

Ava eut un hochement de tête entendu, puis se saisit d'un minitaco.

– Le maïs moulu à la pierre, il n'y a que ça, dit-elle en l'engloutissant.

– Ouais, je sais, approuva Carina en s'efforçant de ne pas rire.

– Mmmm, continuait Ava, la bouche pleine. Qui est en cuisine ? Mario Batali ? Daniel Boulud ?

Carina fit semblant de réfléchir.

– Il s'appelle Joe... quelque chose. Un nom français.

– En tout cas, c'est sûr qu'il n'utilise que des produits de première catégorie. Et j'adore ce contraste entre ultrachic et décontracté. C'est exactement ce que je visais.

– Alors, c'est décidé ?

Carina connaissait déjà la réponse.

Ava se fourra un minisoufflé dans la bouche et repoussa sa chaise.

– Ça me va. Du moment que c'est gratuit.

– Il risque d'y avoir un peu de frais... dans les deux cents dollars, je pense.

Ava se rembrunit, mais opina.

– D'accord. Demandes-en cent de chaque. (Elle se leva.) Et on sera à l'inauguration, quand ils ouvriront, hein ?

– Naturellement !

Et Carina la raccompagna à la porte.

– Au fait ! lança alors Ava en se retournant. J'ai googlé Alex Suarez, et le seul DJ que j'ai trouvé était un gamin qui a fait troisième au tournoi de maths de Stuyvesant et qui mixe dans une obscure boîte louche. Ce n'est pas le même, quand même ?

Carina hésita. Elle aurait pu dire la vérité à Ava. Mais elle s'en était déjà bien tirée avec la nourriture ; un petit mensonge de plus n'allait pas la tuer.

– Bien sûr que non ! répondit-elle sans même réfléchir. Le mien passe beaucoup de temps à Los Angeles. Je crois qu'il vient de faire l'anniversaire des jumelles Olsen au *Château Marmont.*

Ava tripotait son « A » en diamants.

– Je dois dire que tu m'impressionnes, Carina. Au début, j'ai craint que tu ne sois nulle, mais ton père a raison. Tu devrais faire ce métier, en vrai.

Otto, depuis son bureau, lança un regard perplexe à Carina.

– Merci, dit-elle sans se soucier de lui.

– À lundi, alors. (Ava jeta un coup d'œil nerveux à Otto.) Vous n'allez pas encore fouiller mon sac, si ?

L'homme fit non de la tête.

– Ah, bon, très bien.

Et elle sortit.

Carina remonta en flèche dans sa chambre. Tout marchait comme sur des roulettes ! Ava n'y avait vu que du feu, et à présent elle partait dîner avec un très, très beau garçon. Cela n'aurait pas pu aller mieux. Merci, Alex, merci !

Après une douche rapide, un brushing encore plus rapide et un dernier passage en revue de sa penderie, elle se retrouva habillée et enfin prête pour Carter McLean. Son pull à col en V n'était pas tout à fait aussi bien que le débardeur Catherine Malandrino, mais il ferait l'affaire. Elle se regarda une dernière fois dans la glace, inspecta ses dents à la recherche de miettes de minitacos, et s'encouragea mentalement. Juste avant de partir, elle envoya un SMS à Alex.

ÇA A MARCHÉ !

Elle avait presque envie de lui sauter au cou.

En sortant dans la rue, elle se rappela qu'elle n'avait même pas mis ses amies au courant. Ce qu'elle fit illico :

Vais dîner avec Carter ! Et Ava a adoré la bouffe !

Hudson répondit :

FANTASTIQUE – C'EST LE DESTIN !

Et Lizzie :

Appelle-moi dès que c'est fait !

Serendipity était un de ses restaurants préférés quand elle était petite. On y mangeait fabuleusement bien, surtout la spécialité du chef : le chocolat chaud glacé. C'était absolument parfait que son premier rendez-vous avec Carter se déroule dans un lieu qu'elle aimait tant. *Encore un bon signe,* songea-t-elle.

En arrivant, elle vit Carter assis seul à une table nappée de blanc, dans un coin. Il était vêtu d'une chemise bleu pâle avec un gilet en polaire anthracite négligemment ouvert, et ses boucles brunes étaient coiffées en arrière avec un peu de gel. Il lui fit signe. Elle eut aussitôt la bouche sèche.

– Tu es en retard, la taquina-t-il tandis qu'elle s'asseyait.

– C'est parce que je sors de Paragon : je choisissais mon nouveau snowboard ! Je t'ai déjà dit que je vais te laisser sur place ?

– Mon oncle a déjà acheté ton forfait. Alors tu vois, j'espère que tu ne plaisantes pas.

– Moi ? Jamais ! fit-elle, coquette, en ouvrant l'immense carte. Bon, qu'est-ce qu'on prend ?

Ses yeux se fixèrent tout de suite sur les prix.

– Quatorze dollars pour une salade de poulet sur toast ? s'étrangla-t-elle.

Carter la regarda bizarrement.

– Tu vas bien ?

Carina piqua un fard.

– Oui oui, je trouve juste que c'est un peu exagéré.

– Hum, je t'invite, tu sais. Ne t'inquiète pas.

– Oh, je sais bien.

Elle s'efforça de sourire, puis se cacha derrière la carte. Elle avait envie de mourir.

Heureusement, un serveur moustachu apparut une seconde plus tard.

– Vous avez choisi ? demanda-t-il en préparant son stylo.

– Je vais prendre le sandwich de coquelet, annonça Carter. Et un chocolat chaud glacé. Et le banana split en dessert.

Sur la carte, les yeux de Carina volèrent tout seuls vers l'extravagant banana split. *Vingt-deux dollars ? Pour une banane ?* eut-elle envie de s'exclamer, mais elle se retint.

185

– Pour moi, ce sera le croque bacon-laitue-tomate et un thé glacé, dit-elle avec un sourire aimable.

Le serveur nota la commande et s'en alla.

– Tu as un problème d'argent ? s'enquit Carter de but en blanc.

Il faisait semblant de sourire, comme pour tourner sa question à la blague, mais elle lut dans ses yeux qu'il parlait sérieusement.

– Mais non. Bien sûr que non, bluffa-t-elle en lissant ses cheveux. C'est simplement que je n'étais pas venue ici depuis longtemps. Ils ont augmenté leurs prix.

Carter la regardait toujours de travers.

– Mouais, lâcha-t-il.

Elle l'entendait carrément penser : *CETTE FILLE EST FOLLE.* Heureusement, il changea de sujet.

– Je vais en Floride pour Thanksgiving. Mes parents ont un pied-à-terre à Fisher Island.

Tout ce qu'elle avait entendu dire de Fisher Island, c'est que c'était un des quartiers les plus chers de Miami. Le moindre appartement là-bas coûtait des millions.

– C'est chouette, dit-elle. Je n'y suis jamais allée.

– C'est génial. Le ski nautique est incroyable, là-bas. Et c'est juste en face de South Beach. Je crois qu'on va aller à la pêche au gros. La dernière fois, j'ai failli attraper un marlin grand comme ça. (Il écarta les bras le plus loin possible.) Un bestiau de presque cinq mètres de long.

Carina chercha quelque chose d'intéressant à dire, mais ne trouva que :

– Ah oui ?

– Oui.

186

Il y eut un long silence. *Au secours !* pensa Carina. Ils n'étaient ensemble que depuis dix minutes, et ce rencard prenait déjà l'eau.

– Elle est belle, ta montre, fit-elle remarquer en désignant l'énorme Rolex en argent qu'il portait au poignet.

– Je l'ai eue pour mon anniversaire, se rengorgea Carter en tripotant distraitement le bracelet. Ce n'est pas vraiment celle que je voulais, mais ça va.

– Et c'était laquelle, celle que tu voulais vraiment ?

– Celle avec le chronographe, pour quand je fais de la plongée. J'en avais une, mais je l'ai perdue aux îles Caïman.

– Alors tu as perdu une Rolex au fond de la mer et on t'en a offert une autre ?

– Eh ouais ! dit-il avec un grand sourire.

– C'est naze !

Le grand sourire disparut. Elle comprit alors qu'elle avait parlé tout haut.

– Je veux dire : c'est naze que tu l'aies perdue, bredouilla-t-elle.

Cela ne prit pas. Carter la toisait toujours comme si elle avait une maladie contagieuse lorsque leurs assiettes arrivèrent.

– Sandwich au coquelet ?

– Ici, grommela Carter.

– Ça a l'air bon, lança-t-elle pour faire la paix.

Il eut un léger sourire.

– Merci.

– Et ça, ça m'a l'air fameux, ajouta-t-elle en regardant sa propre assiette.

Carter garda le silence.

En mordant dans son croque à douze dollars, Carina prit pleinement conscience que son dîner de rêve avait tourné à la catastrophe.

– Dis, j'ai reçu un mail de Laetitia, continua-t-elle. On dort tous au Ritz-Carlton le premier soir, alors ?

– Oui, mon oncle sera encore au chalet, lâcha dédaigneusement Carter. Il ne part pour la Grèce que le lendemain.

– Mais alors, il ne sera pas avec nous ?

Elle avait toujours cru qu'il y aurait au moins un adulte dans la maison.

– Oh non, pas question ! Sinon, je n'y serais pas allé. On sera entre nous.

– Et tes parents sont d'accord ?

– Ben oui, pourquoi ils ne le seraient pas ? grogna-t-il d'une voix profondément agacée. Tu as besoin d'un chaperon, ou quoi ?

– Non ! C'est juste que... je n'avais pas compris ça.

Elle picorait son croque. Elle se sentait comme un enfant à qui on fait la leçon. Mais elle avait posé une question honnête. Pourquoi se montrait-il si pénible ? Lizzie avait raison. Carter McLean n'était pas très sympa.

Lorsque l'addition arriva enfin, il jeta sa carte Visa sur le plateau sans même regarder le prix.

Carina le remercia, mal à l'aise. Il se contenta de remuer un peu sur sa chaise.

– Content que ça t'ait plu, marmonna-t-il en tendant le bras vers son manteau.

Un vent glacial soufflait dans la 6e Rue. Carina consulta sa montre. Il n'était même pas neuf heures et quart, mais la soirée était clairement terminée.

– Bon, merci d'être venue, dit-il, morose, en remontant la fermeture Éclair de son gilet.

– Oui, c'était très chouette.

Elle lui sourit et attendit. Peut-être que si elle faisait un effort, si elle l'amenait à l'embrasser, elle réussirait à sauver ce rendez-vous, à le faire redevenir le Carter pour qui elle craquait.

Mais il ne fit que regarder à droite et à gauche, distrait, comme si ses yeux verts cherchaient quelque chose – ou quelqu'un – qui n'était pas là.

– Tu veux aller ailleurs ? demanda-t-elle.

– Nan, je suis crevé. Et je me lève tôt pour aller courir autour du réservoir demain. Tu veux que je t'appelle un taxi ?

– Ne t'embête pas, je vais rentrer à pied. À lundi ?

Il l'embrassa vaguement sur la joue, l'esprit visiblement ailleurs.

– À plus, fit-il en se reculant comme si elle avait eu la peste.

C'était fou, pensa-t-elle en se mettant en marche. Dès l'instant où elle s'était assise à table, la soirée avait été un désastre total, absolu. Mais était-ce sa faute, parce qu'elle avait ouvert sa grande bouche et dit *C'est naze* ? Ou était-ce celle de Carter, parce qu'il était un crétin pourri gâté ? Et si c'était un crétin pourri gâté, pourquoi avait-elle été si déçue de la manière dont la soirée s'était terminée... par une pauvre bise ratée ?

Il fallait qu'elle appelle Lizzie et Hudson pour analyser tout cela avec elles. Mais en prenant son téléphone, elle constata qu'elle avait un message vocal de sa mère. Elle l'écouta en montant le volume.

« Coucou chérie, c'est moi. Je suis absolument désolée d'avoir mis si longtemps à te répondre. Ici, c'est la folie totale... Un de mes profs de yoga a démissionné sans préavis, et je croule sous les nouveaux clients... Enfin bref, je voulais que tu saches que je serai en ville le trente, avant de partir pour l'Inde – je vais dans un nouvel ashram – et que j'ai hâte de bavarder avec toi pour rattraper le temps perdu ! Tu me manques, ma chérie ! »

Carina raccrocha. Elle était contente de savoir que sa mère allait venir, mais également soulagée d'avoir raté son appel. Elle n'avait pas envie de devoir récapituler tous les événements étranges et difficiles des deux dernières semaines, là. C'était déjà assez dur de les vivre. Et pour l'instant, elle n'avait qu'une envie : rentrer chez elle, se pelotonner dans le canapé et terminer les minitacos pas chers.

Chapitre 18

– C., tu sais bien que j'adorerais venir passer la journée à Montauk, mais ma mère est totalement paniquée parce qu'on est encore en studio, lui dit Hudson la veille de Thanksgiving, avant d'entrer en classe. Elle veut qu'on refasse deux ou trois morceaux. Et tu ne les as pas entendus ! Déjà, on ne reconnaît pas ma voix. Elle l'a passée tellement de fois au compresseur qu'on dirait Gwen Stefani sous hélium.

– Et ton beau producteur, il s'écrase toujours devant elle ? demanda Lizzie.

À Chadwick, la veille de Thanksgiving était traditionnellement une journée sans uniforme. Lizzie portait un superbe top violet électrique, à profond décolleté en V, et un cardigan de soie brodé de grandes fleurs. Carina avait aperçu les deux dans le catalogue Anthropologie avant de le jeter tristement à la poubelle.

– Bien sûr qu'il s'écrase devant elle, répondit Hudson en démêlant ses colliers en argent. Le point positif, c'est que ma mère semble l'adorer. Et vous savez à quel point elle déteste *tout le monde*. Au moins, ça me simplifie la vie.

Hudson était sublime, comme d'habitude, dans sa robe Empire métallisée et son collant opaque noir.

Carina tira sur la fermeture Éclair de son sweat à capuche préféré, de chez Vince. Elle l'avait associé à un mignon petit haut à rayures de chez Barneys acheté l'année précédente. Mais en ce moment, à côté de ses amies, elle aurait bien voulu avoir une tenue plus neuve à exhiber.

– Et moi, j'aimerais bien venir aussi, mais je vais en Caroline du Nord avec Todd et sa mère, dit Lizzie. Toute la famille de sa mère est là-bas, je crois.

– Ça ne fait rien, les filles. Je trouverai bien quelque chose à faire.

Elle tâchait de prendre un ton moins déprimé que ce qu'elle ressentait.

– Ça ne va pas mieux, avec ton père ? s'enquit Lizzie.

Carina pensa à la poignée de fois où elle l'avait vu depuis leur dispute, deux semaines plus tôt, au cocktail du magazine *Princesse*. Non, elle ne pouvait pas dire que cela allait mieux. Ils s'étaient à peine parlé au dîner, hormis des questions machinales sur le collège et des réponses monosyllabiques.

– Pas vraiment. Mais aujourd'hui, je suis convoquée à l'Étoile Noire pour cette interview ridicule sur la vie de « vraie princesse ». Ça veut peut-être dire que je ne l'ai pas rendu complètement furieux le jour du cocktail.

– Je croyais que tu avais décliné, s'étonna Lizzie tout en cherchant Todd des yeux dans le couloir.

– Mais oui, je croyais que tu avais dit à ton père que c'était une mauvaise idée, renchérit Hudson.

– Et vous croyez qu'il m'a écoutée, peut-être ? Aucune

192

chance. Il trouve ça génial. Vous imaginez comme ça me fait envie, pour démarrer le week-end de Thanksgiving.

Il y avait eu un temps – quand sa mère était encore là – où Thanksgiving était la fête préférée de Carina. À l'époque, ils partaient tous pour le week-end prolongé dans leur maison de Jamaïque, sur une falaise qui dominait Montego Bay. Ils passaient leurs journées à marcher sur la plage, à se baigner dans la piscine à débordement et à lire dans des hamacs, sur la gigantesque terrasse dallée. Et ensuite, ils faisaient un vrai festin à la jamaïcaine, remplaçant la dinde farcie traditionnelle par du poulet mariné aux épices et de la friture de lambi.

Mais ce temps était révolu. Désormais, Thanksgiving consistait pour elle à s'incruster chez ses amies afin d'éviter de passer quatre journées avec le Jurg, entre les baies vitrées de sa froide villa de Montauk. Seulement, cette année, elle n'avait aucun plan B. Elle serait donc forcée de marcher sur des œufs dans cette maison, avec son père pour toute compagnie.

– Attends…, dit Hudson. Carter n'a pas une maison à East Hampton ? Tu n'as qu'à l'inviter !

– Il va en Floride. Et je crois que c'est plus ou moins fini, entre nous.

– C., ce n'est pas parce qu'il ne t'a pas embrassée…, commença Lizzie.

– Non, ce n'est pas ça. Mais j'ai l'impression qu'il y a quelque chose de différent. (Elle changea son sac d'épaule en s'arrêtant devant son casier.) J'étais là, chez *Serendipity*, et soudain j'ai eu l'impression de le voir se métamorphoser. Sous mes yeux.

– C'est peut-être toi qui t'es métamorphosée, proposa Hudson.

– Comment ça ?

Hudson rangea ses livres dans son casier.

– Tu as changé, C. Tu ne le vois pas, mais nous, si. Tu es plus calme. Plus mûre. Et aussi moins impulsive qu'avant.

– C'est peut-être juste qu'il ne te plaît plus autant, renchérit Lizzie en attachant ses cheveux roux.

Carina réfléchit. C'était vrai qu'elle se sentait différente. Mais en quoi cela devait-il changer les autres ?

– Bah, peut-être qu'on n'était pas en forme, ce soir-là, dit-elle.

– Tu pars toujours au ski avec lui ? s'enquit Lizzie.

Le ski. Elle avait reçu un nouveau mail groupé de Laetitia. Il s'agissait cette fois de réserver chez *Rue du soleil*, qui, d'après le guide qu'elle avait consulté, était un des restaurants les plus chers de Chamonix. Elle n'avait pas répondu non plus.

– Je crois, répondit-elle mollement.

– Bon, c'est une bonne chose ! s'exclama Lizzie en claquant la porte de son casier. Sinon, tu serais folle de vouloir continuer avec Ava.

– Puisqu'on en parle, chuchota Hudson. La folle est de retour.

– Carina ? lança Ava derrière elle. Je peux te parler une minute ?

Carina fit volte-face. Ava s'avançait à grands pas, en bottes fourrées à franges, jean en cuir et poncho bordé de fourrure. Les Icks – les filles de sa bande – la suivaient comme des caniches, plus discrètes dans leurs jeans slim,

194

bottines et longs pulls-manteaux en cachemire, mais encore un poil trop habillées pour le collège.

– Tiens ! Ava ! s'écria Carina en tâchant de masquer son stress.

Elle n'avait pas avancé dans les préparatifs du gala, mais elle se disait qu'après son triomphe culinaire une semaine et demie plus tôt, elle pouvait bien se détendre un peu.

– Maintenant que le bal est dans moins d'un mois, dit Ava sans quitter Carina de ses yeux brillants, j'ai réfléchi. Je sais que nous avons déjà un DJ, mais tu ne crois pas que ce serait top de faire venir quelqu'un pour chanter en live ?

– Pour *chanter* ? répéta Carina, abasourdie.

– Mais oui ! Il y a une scène parfaite pour ça, expliqua Ava. Et ça ne serait pas génial si quelqu'un pouvait venir interpréter un ou deux titres ?

Mais qu'est-ce qu'elle a ? Elle a pris le melon, ou quoi ? songea Carina.

– Tu pensais à qui ? demanda-t-elle en tâchant de ne pas remarquer le regard bleu d'Ilona fixé sur elle.

– Je ne sais pas... Ton père n'a pas fait venir Justin Timberlake à une de ses fiestas, récemment ?

– *Justin Timberlake ?*

– Ou alors les Jonas Brothers ? Il les a engagés aussi, non ? (Ava battit de ses longs cils.) S'il les connaît déjà, ce n'est pas la mer à boire de demander.

Ça suffit, pensa-t-elle. Cela devenait ridicule. Il fallait qu'elle fasse comprendre à Ava, une bonne fois pour toutes, que son père n'avait rien à voir avec le gala.

Mais alors, elle eut une brillante idée.

195

– Tu sais, on pourrait avoir quelqu'un d'encore *mieux* et *plus nouveau* que Justin ou que les Jonas Brothers, dit-elle. Une jeune artiste qui va bientôt percer.

– Qui ça ? fit Ava, sceptique.

– Que dis-tu de Hudson Jones ?

Carina tourna la tête vers son amie. Hudson était soudain presque aussi pâle que Lizzie, et sa bouche subtilement colorée au rouge Chanel était ouverte. *Oups !* pensa Carina.

– *Hudson* ? croassa Ava comme si Carina venait de proposer de chanter elle-même.

– Elle est en train de terminer l'enregistrement de son premier album, et elle va devenir une star, sans aucun doute, annonça fièrement Carina en enlaçant les épaules de son amie. On serait les premières à l'avoir en concert. Ce serait comme voir Robert Pattinson dans le spectacle de fin d'année de son lycée !

Sous son bras, Hudson se raidit légèrement.

Carina chercha alors Lizzie du regard. Celle-ci regardait par terre, les joues rougies par la colère.

– En fait, je crois que je ne suis pas prête à me produire sur scène, dit Hudson, l'air indécis. Mais c'est très gentil de me proposer...

– Allez, juste pour un soir ! insista Carina. Et puis de toute manière, tu comptais aller à la soirée, non ?

Elle savait qu'elle mettait Hudson au pied du mur, mais vu comment Ava et les Icks la regardaient, elle ne pouvait plus s'arrêter.

Hudson se mordit la lèvre et opina en silence.

– Mmm... Ça pourrait *peut-être* fonctionner, lâcha Ava avec un soupir. Il paraît que tu as une super voix.

196

– Génial ! s'exclama Carina. On en reparle à la pause déjeuner, d'accord ?

– D'accord, dit Ava sans paraître remarquer le visage en cendres de Hudson. On parlera des chansons plus tard. J'ai des goûts très précis.

Ava et les Icks se joignirent au flot d'élèves qui avançaient dans le couloir, les laissant toutes les trois plongées dans un silence embarrassant.

– Hudson, chuchota Carina en entrant en cours. Je suis désolée. J'espère que tu ne me détestes pas.

Hudson ne dit rien, et elles trouvèrent trois chaises libres dans le fond.

– Ne t'en fais pas, je peux te tirer de cette situation, ajouta Carina.

– Alors, pourquoi tu l'y as mise ? murmura Lizzie.

– Ça ne fait rien, dit Hudson en posant la main sur le bras de Carina. Vraiment, ce n'est pas grave.

Elle aurait tout fait pour éviter une dispute.

Tout en sortant son livre d'histoire, Carina eut l'impression d'être la plus mauvaise amie du monde. Mais, objectivement, Hudson était parfaite pour le gala. Elle chantait mieux que tous les artistes qu'ils auraient pu avoir, et ce serait parfait pour qu'elle s'habitue à la scène.

– Au moins, tu feras ton premier spectacle devant des gens que tu connais, lui dit-elle.

– C'est ce que je voulais éviter, répondit Hudson en essayant de sourire. Mais ça ne fait rien. Je le ferai pour toi.

– Merci, H., souffla Carina en la serrant rapidement dans ses bras.

Au moment où elle se dégageait, elle sentit le regard

critique de Lizzie la brûler. Il était clair que son amie la désapprouvait. Le fossé qui se creusait entre elles deux depuis des semaines venait de s'agrandir un peu plus. Et Carina commençait à se demander quand viendrait l'explosion.

Chapitre 19

– Barb arrive tout de suite, dit l'assistante à tête de bébé en faisant entrer Carina dans le luxueux bureau d'angle de la rédactrice en chef de *Princesse*. Je peux vous apporter à boire ? Du thé glacé ? Un cappuccino ? De l'eau vitaminée ?

– Rien, merci.

– Vous êtes sûre ? Nous avons de la San Pellegrino, insista la fille en inclinant la tête sous l'halogène, ce qui fit ressortir son balayage blond.

– Non, vraiment, tout va bien.

L'assistante lui adressa alors un bref hochement de menton et sortit.

Carina laissa tomber son sac de classe sur l'épais tapis blanc et soupira. L'ardeur que déployaient les gens à bien la traiter la mettait toujours mal à l'aise. Il s'était passé la même chose lorsqu'elle avait fait son stage dans les bureaux de son père, quinze étages plus haut. Tout le monde – des assistants aux vice-présidents en passant par les employés du ménage – semblait stressé, voire tout simplement terrifié, devant elle. C'était peut-être pour cela qu'elle s'était tant déplu là-bas. Jamais elle ne serait une simple stagiaire.

Elle s'approcha de la baie vitrée pour contempler les canyons humides et gris du quartier des affaires, qui se creusaient en dessous. L'ambiance était restée un peu bizarre entre ses amies et elle après les cours. Lorsqu'elles s'étaient séparées dans la rue devant le collège, Carina avait souhaité bon courage à Hudson pour l'enregistrement, et celle-ci avait haussé les épaules. Et Lizzie lui avait crié « Amuse-toi bien ! » en partant de son côté. Lizzie ne disait jamais ce genre de choses. Visiblement, elles lui en voulaient toujours d'avoir impliqué ainsi Hudson dans le gala. Mais elle savait que si elle appelait Hudson pour savoir si ça allait, celle-ci lui répondrait que oui.

Elle se fit la réflexion que les filles étaient vraiment énervantes, parfois. Avec les garçons, au moins, on savait à quoi s'en tenir. Prenons l'exemple de Carter. Elle ne l'avait aperçu qu'une seconde par la fenêtre de la pizzeria lors de la pause déjeuner, en train de discuter avec Anton et Laetitia. Eh bien, il avait regardé droit vers elle, puis à travers elle. Pas un sourire, rien. Ce qui ne pouvait signifier qu'une chose : il avait été aussi déçu qu'elle par leur dîner en tête à tête. Au moins, il ne prétendait pas être encore son ami. C'était presque un soulagement.

– Navrée de t'avoir fait attendre, cria une femme depuis le couloir.

Carina regarda Barb Willis entrer à toute vitesse dans le bureau, encore plus échevelée – et visiblement épuisée – que l'autre soir. Ses fins cheveux mi-longs étaient tellement électriques que certains tenaient en l'air tout seuls, et sa veste marron foncée paraissait couverte de poils de chien blancs.

– Jamie t'a proposé quelque chose à boire ? s'enquit-elle en battant des paupières derrière ses lunettes comme si elle n'y voyait rien. Ou des biscuits ? ajouta-t-elle en désignant un paquet de cookies industriels ouvert sur son bureau. Je t'en prie, sers-toi. J'ai déjà explosé mon régime trois fois depuis ce matin.

– Vous n'avez pas besoin de régime, dit Carina.

Barb la regarda bizarrement, puis sourit.

– Assieds-toi, je t'en prie. Mets-toi à l'aise.

Un papier à la main, elle indiqua un banal canapé blanc contre le mur. Barb Willis était très éloignée des icônes glamour et glacées qui dirigeaient les autres magazines féminins du Jurg, mais, pour l'instant, ses nombreuses imperfections avaient plutôt tendance à charmer Carina.

– On est tous un peu décalés aujourd'hui, à cause du week-end de Thanksgiving, dit-elle. Et comme presque tout le monde est parti, je crois bien que c'est moi qui vais t'interviewer... oups !

Le papier qu'elle tenait à la main était tombé par terre. C'était une sortie imprimante de la couverture prévue pour le prochain numéro.

– C'est une maquette pour le numéro de mars, expliqua Barb pendant que Carina se baissait pour la ramasser. Le graphiste vient de la terminer.

Carina observa l'éternel logo *Princesse* rose vif en lettres fleuries et les titres bourrés de chiffres (« Trois cent cinquante-trois façons de s'attacher les cheveux ! »). Puis la fille qui posait, une comédienne de la télé câblée qui avait déjà fait la couverture de plusieurs autres magazines dans les six derniers mois, et était plus jolie et plus classe sur toutes les autres.

– Qu'est-ce que tu en penses ? voulut savoir Barb.

Carina chercha quelque chose de positif à dire.

– J'aime bien ses cheveux.

Barb, fronçant les sourcils, lui reprit la page.

– Et qu'est-ce que tu n'aimes pas ? Vas-y, dis-moi franchement ce que tu penses. En tant que lectrice.

– Eh bien, pour être tout à fait honnête, je ne suis pas lectrice de *Princesse*.

Barb sourit.

– Ah. Je peux te demander pourquoi ?

– Tout semble un peu forcé. Vous voyez ça ? (Elle pointa le logo.) Le rose vif, le lettrage, le cœur sur le « i » ? C'est bien trop chichiteux. Je serais pour abandonner le cœur, choisir une police de caractère plus sobre, et *à ce moment-là* le rose pourrait passer. Il faut moderniser un peu tout ça, le rendre plus tendance. N'ayez pas peur de l'audace. Les filles aiment bien ça, vous savez.

Barb ne semblait pas totalement convaincue, mais hochait la tête, le menton dans la main.

– Continue.

Carina s'approcha d'un panneau d'affichage sur lequel étaient punaisées des pages en format réduit.

– C'est le reste du numéro ?

– Oui, c'est la maquette.

– Bon. Cet article sur les tendances. Il faut quelque chose de plus pointu. *Bien* plus pointu. Tout ça, c'est déjà sorti dans d'autres magazines. (Elle désigna l'une des photos.) Et je ne pense vraiment pas que les ponchos puissent être considérés comme une tendance. Sauf pour une fille de ma classe, mais elle est ridicule.

– D'accord..., souffla Barb d'un air légèrement accablé.

– Ce qu'il vous faut, c'est deux ou trois filles branchées qui connaissent bien les marchés aux puces et les friperies. Faites-les parler de ce qu'elles ont envie de porter, ou de ce qu'elles portent, et vous pourriez recréer leur look. Cette page doit lancer des tendances, pas les trouver. Et puis ces reportages mode ! Enfin, regardez ! (Elle montra une fille en diadème et tutu argenté sous un gros titre : « Ensorcelez-le ».) Qu'est-ce que c'est que ça ?

– C'est notre enquête sur les robes pour les bals de fin d'année. Le photographe est très réputé, et c'est lui qui a eu l'idée de faire quelque chose de magique...

– Personne ne va aller au bal du lycée en tutu, asséna Carina. Surtout si ça coûte les yeux de la tête. Pourquoi ne pas photographier uniquement des vêtements en dessous de cent cinquante dollars ? Si vous montrez ce genre de choses, les lectrices seront dépitées de ne pas pouvoir se les offrir.

Barb remonta ses lunettes sur son nez.

– Tu as discuté de tout ça avec ton père ? demanda-t-elle nerveusement.

– Non, c'est simplement ce que je pense.

– Je vois, fit Barb, apparemment soulagée. Bon, passons à cette interview.

Elle lui désigna de nouveau le canapé.

Carina s'assit. Elle savait qu'elle avait probablement vexé Barb, et qu'il y avait neuf chances sur dix pour que cela

203

revienne aux oreilles du Jurg. Mais elle s'en fichait, ou presque. Cela avait été agréable de s'exprimer franchement, pour une fois.

Barb se jucha sur le bord d'un fauteuil capitonné et posa un vieux magnétophone sur la table basse en verre, entre elles deux.

– Bien, première question. Tu sais que c'est pour un article sur ton fabuleux quotidien. Alors commençons par ce que tu as fait le week-end dernier. (Barb se pencha en avant pour la gratifier d'un sourire entendu derrière ses lunettes.) Qu'est-ce que tu as fait ? Comment as-tu passé ton samedi après-midi ?

Carina réfléchit.

– Vous tenez vraiment à le savoir ?

– Bien sûr !

– J'ai fait des pancakes bleus et je suis allée chez *Joe l'Épicier*.

Suzan se rembrunit.

– Tu as bien dit *Joe l'Épicier* ?

– Eh oui. Et pour les pancakes bleus, je n'ai pas fait exprès. Mais ils étaient bons quand même.

Barb hocha lentement la tête, le temps de rassembler ses pensées.

– Autre chose ?

À ce moment-là, des pas résonnèrent dans le couloir et, sans se faire annoncer par l'assistante, le Jurg pénétra dans la pièce.

– Bonjour mesdames ! dit-il avec le sourire à cent mégawatts qu'il réservait au travail. J'espère que je n'ai rien raté d'important.

204

Carina sentit sa poitrine se serrer. Bien sûr qu'il était là. Elle inspira profondément et tâcha de dissimuler son agacement.

– Karl ! glapit Barb en passant une main sur ses cheveux électriques et en bondissant sur ses pieds. Quelle bonne surprise !

Il s'installa dans le canapé aux côtés de Carina.

– Ne vous levez pas. J'ai eu envie de venir voir comment ça se passait. Bonjour, C. (Il l'embrassa sur le sommet du crâne. Puis il fit claquer ses mains sur ses genoux.) Alors, où en sommes-nous ? Faites comme si je n'étais pas là. Je ne fais que regarder.

– J'allais parler shopping avec Carina, dit Barb sans se départir de son grand sourire. Bien sûr, cela intéresse beaucoup nos lectrices. Alors, Carina. Quels sont tes magasins préférés ?

Carina jeta un coup d'œil à son père. Ce n'était peut-être pas un mal qu'il soit présent, tout compte fait.

– Vous voulez dire en ce moment ? Aucun.

– Du tout ?

– Disons que je ne fais pas beaucoup de shopping ces temps-ci, dit-elle d'un ton égal.

– Allons, C., ce n'est pas tout à fait vrai, intervint le Jurg, plein de bonne volonté. Tu adores cette marque, comment ça s'appelle, déjà... Intersection ?

– Intermix.

– Et puis elle est folle du Meatpacking District, ajouta-t-il. Toutes ces boutiques... elle ne s'en lasse pas.

– C'est ça, oui, grommela Carina juste un peu trop fort.

– Et c'est bien connu qu'elle dévalise les magasins de

Newtown Lane, à East Hampton, poursuivit-il avec un large sourire.

À présent, elle comprenait pourquoi il était venu. Il voulait contrôler la situation. Il voulait qu'elle fasse semblant de vivre encore une existence « fabuleuse ». Elle n'en revenait pas.

– Voilà, dit-elle du ton le plus sarcastique possible. Je les dévalise.

Barb les regardait tour à tour. Elle avait perçu le ton amer de Carina.

– Bien, et les voyages ? Quel est le dernier endroit où tu t'es rendue ?

– La Californie, répondit Carina non sans malice. Mais ce n'était pas un voyage d'agrément.

Barb consulta ses notes.

– Des activités en dehors du collège ?

Carina eut un rire bref.

– Non.

– En fait, la passion de Carina, c'est de venir au bureau pour tout apprendre sur Metronome Media, lança son père en la prenant par les épaules. Elle s'intéresse déjà beaucoup aux affaires.

– Ah bon ? fit Barb.

– Oui, elle adorait déjà venir quand elle était toute petite, et s'asseoir à la grande table de réunion. Et tout récemment encore, elle a demandé à faire un stage...

Carina se pencha en avant et éteignit le magnétophone.

– Pardon, mais pourrais-je avoir une minute en privé avec mon père ? demanda-t-elle sans quitter des yeux la table basse.

Elle avait le visage en feu.

Barb se leva subitement, comme si elle venait de se rappeler qu'elle avait un avion à prendre.

– Prenez tout votre temps.

En sortant, elle ferma la porte derrière elle. Aussitôt qu'ils furent seuls, le Jurg se prit la tête à deux mains et s'empoigna les cheveux.

– Carina, qu'est-ce que je vais faire de toi ?

– Pourquoi tu es venu ? Tu avais peur que je ne sache pas m'en tirer toute seule ?

– Quelque chose me disait qu'on ne pouvait pas te faire confiance pour répondre correctement. Visiblement, j'avais raison.

Carina se força à rester calme.

– Tu avais peur que je la déçoive, c'est tout. Que tout compte fait, la fille de Karl Jurgensen n'apparaisse pas comme une vraie princesse. Ou comme autre chose que tu approuves.

Le Jurg se frottait les paupières du bout des doigts.

– Carina, je t'en prie. Tu es toujours privilégiée, quel que soit le montant de ton argent de poche.

– Parce que je suis ta fille ?

Il inspira profondément et la regarda.

– Oui, répondit-il fermement.

– C'est ça. Parce que tout ce que tu vois, c'est que je suis ta fille. C'est tout. Tu ne sais rien de moi. Tu ne me *regardes* même pas. On dirait que je suis invisible. Je me demande pourquoi tu as voulu que je vive avec toi !

– Quoi ? Qu'est-ce que tu racontes ?

– C'est maman qui voulait de moi. Elle m'aimait, elle. Elle

savait qui j'étais. Et elle voulait que je vive avec elle. Mais tu ne lui as même pas laissé ça. (Elle émit un rire étranglé.) C'est un comble, quand on y pense. Vu que c'est toi qui l'as trompée.

Ça y était. Elle l'avait enfin dit. Ce dont personne n'avait jamais osé parler.

Le corps entier de son père sembla se congeler sur place. Pendant un instant, il fut trop stupéfait pour parler.

– Rentre à la maison, dit-il finalement. Tout de suite.

Attrapant son sac de classe d'une main, Carina se leva. Ses mots ricochaient encore entre eux, emplissant la pièce, lui donnant le vertige. Elle n'arrivait plus à le regarder en face. Il avait raison. Il fallait qu'elle parte.

Elle sortit de la pièce. Du coin de l'œil, elle aperçut Barb et son assistante recroquevillées dans un coin comme deux adolescentes. Elles avaient certainement tout entendu. Mais c'était sans importance. Elle ne leva pas les yeux de la moquette en passant devant elles.

Elle aurait voulu pouvoir retirer ses paroles, mais c'était trop tard. Elle s'en voulait à mort d'avoir dit quelque chose d'aussi horrible, mais elle lui en voulait encore plus, à lui, parce que c'était la vérité.

Chapitre 20

Carina était étendue sur son lit. Par la fenêtre, elle regardait un hélicoptère clignoter dans le crépuscule. Elle se sentait vidée de l'intérieur, comme si elle venait de vomir. Pleurer lui faisait toujours cet effet. Une sensation de faiblesse. Et elle détestait être faible.

Elle chercha le numéro de Lizzie sur son téléphone à panda. En temps normal, elles auraient été ensemble toutes les trois, chez Pinkberry, et ses amies l'auraient consolée autour d'un yaourt glacé aux Oreo. Mais cette fois, cela n'avait pas été une dispute ordinaire avec le Jurg. Elle n'était même pas certaine de pouvoir aborder le sujet avec ses amies. Elle ne leur avait jamais parlé de l'infidélité de son père. Et le souvenir de la tête de Hudson ce matin-là en classe – blême – l'empêchait de les appeler. Même si elles n'étaient pas complètement furax, Lizzie et Hudson lui en voulaient sûrement, au moins un peu. Le moment était mal choisi pour pleurer sur leur épaule.

Elle appela donc plutôt sa mère. Et fut stupéfaite d'entendre quelqu'un décrocher.

– Allô ?

C'était un homme. Derrière lui, Carina entendait le brouhaha d'une fête.

– Bonjour, Mimi est là ?

– Non, désolé. Elle est avec un client. Qui êtes-vous ?

– Sa fille, Carina.

– Qui ?

– Sa *fille*. Vous pourrez lui dire que j'ai appelé ?

– Pas de problème. Aloha !

– Aloha vous-même, grommela-t-elle en raccrochant.

Pourquoi un inconnu répondait-il au téléphone de sa mère ? Et pourquoi donnait-il l'impression de n'avoir jamais entendu parler de Carina ? Les gens ignoraient-ils que Mimi avait une fille ?

Sa mère avait toujours eu trop de tact pour lui parler des maîtresses de son père, même pendant les quatre jours passés au *Plaza*. Mais cela n'avait pas été nécessaire. Carina avait compris toute seule. Pendant les mois qui avaient précédé le départ de Mimi, le Jurg avait tout fait pour éviter sa femme. Quand elle pénétrait dans une pièce, il en sortait. Quand elle entrait dans la pièce télé alors qu'il regardait CNBC, il prenait son BlackBerry et passait un coup de fil. Au dîner, il engloutissait sa nourriture en lisant des magazines, et sa mère regardait fixement son assiette, comme si un film était projeté quelque part entre son blanc de poulet et ses brocolis vapeur. Carina, assise entre eux deux, envoyait frénétiquement des SMS pour se distraire.

Au fil de l'année scolaire, cela avait empiré. À l'arrivée de l'hiver, sa mère s'était mise à pleurer le matin et à errer dans la maison tel un zombie sous Xanax. Quand Carina lui avait demandé si elle allait bien, Mimi s'était contentée de hausser les épaules faiblement, les yeux rouges. « Oh, ma chérie », avait-elle dit, et ces trois mots contenaient des romans entiers de désespoir.

Et puis, un soir, en passant devant la porte fermée de leur chambre, Carina avait entendu des cris.

– Tu es vraiment obligé de me traiter comme ça devant notre fille ? Elle s'en aperçoit, Karl ! hurlait sa mère. Elle remarque tout ! Tu ne peux pas avoir un peu de décence, pour elle, au moins ?

– Je fais ce que je veux, bon Dieu ! Et c'est tout ce que tu mérites, égoïste comme tu es...

La poignée de porte avait tourné, et Carina s'était enfuie dans l'escalier, jusqu'au rez-de-chaussée, où elle s'était cachée dans les toilettes en retenant sa respiration.

Pendant quelques minutes, elle n'avait entendu que leurs voix en boucle dans sa tête, comme un enregistrement incontrôlable. Et soudain, elle avait compris.

Il l'avait trompée. Bien sûr ! Il y avait toujours des femmes pour lui tourner autour. Toute petite, Carina percevait déjà son pouvoir sur elles. Et à présent, quelque chose était allé trop loin, et il avait brisé le cœur de sa mère. Carina en était malade. Mais c'était tout à fait logique. Il obtenait toujours ce qu'il voulait. Même si c'était horrible de l'imaginer avec d'autres femmes, au fond elle savait bien que cela n'avait rien d'invraisemblable.

DING-DONG !

Le tonitruant signal de son portable la ramena sur terre. Carina se redressa sur son lit et lorgna le vieil appareil, posé sur sa commode. C'était sans doute un texto de son père, lui disant sans détour à quel point il était déçu. Elle se rallongea en attendant d'avoir rassemblé le courage de le lire. Mais lorsque enfin elle y parvint, elle constata que le message émanait d'Alex.

Libre ce soir ?

Elle ne l'avait pas vu et ne lui avait pas parlé depuis leurs emplettes chez *Joe l'Épicier*. Mais à ce moment-là, il était la seule personne de la planète à qui elle ait envie de parler.

Yes !

La réponse ne tarda pas :

Lincoln Center. Fontaine. Une demi-heure.

Elle aurait cru que la grande salle d'opéra, de ballet et de musique classique de New York serait bien trop collet monté pour un gars aussi branché qu'Alex, mais d'un autre côté, il était imprévisible.

J'y serai, écrivit-elle.

Puis elle pria pour que ce qu'il avait en tête coûte moins de cinq dollars.

Elle prit le bus sur la 57e Rue et descendit sur Broadway. La nuit était complètement tombée, et un vent humide lui balayait le visage. Lincoln Center : encore un endroit qui lui rappelait sa mère. Quand elle était petite, tous les ans, en décembre, Carina et sa mère venaient y voir *Casse-Noisette* en matinée, avant d'aller prendre un chocolat chaud et une tarte aux pommes au *Café Lalo*. Sa mère appelait cela « leurs sorties entre filles », et Carina adorait cela. Mais en CM2, tout s'était brusquement arrêté. La faute aux exploits de son père. Il avait tout gâché, se dit-elle en évitant une femme qui courait après un taxi devant l'hôtel *Mandarin Oriental*. Aucune raison de s'en vouloir pour leur dispute du jour. Il méritait tout ce qu'elle lui avait dit, et bien plus encore.

Elle gravit les marches blanches de l'esplanade du Lincoln Center et, une fois en haut, sourit spontanément. Elle avait oublié comme la fontaine était belle, la nuit. De la vapeur s'élevait des jets d'eau étincelants qui jaillissaient vers le ciel, tandis que le bruit de cascade noyait les sirènes et les klaxons de la ville. Les gens traversaient l'esplanade en tous sens, pressés de rentrer chez eux pour partir en week-end prolongé. Mais une personne se tenait immobile devant la fontaine, une personne qui attendait quelqu'un. C'était Alex. Il portait un long manteau militaire et une écharpe rouge. Ses cheveux, plutôt redressés en pointe d'habitude, semblaient avoir été lissés au gel. Elle aurait presque pu croire qu'il s'était fait beau pour elle. Mais elle savait déjà que ceci n'était pas un rendez-vous galant. Ce n'était pas possible, avec tout ce qu'il savait sur elle.

Soudain, elle se sentit gênée d'être en jean et simple col roulé noir de chez Gap sous son manteau.

– Salut ! lança-t-elle en s'approchant de lui. Tu es tout beau, dis donc.

Elle crut voir une légère rougeur monter à ses joues.

– Merci. Je sais que je t'ai prévenue à la dernière minute.

– Alors, on va voir quelque chose ici ?

– Peut-être. Dis-toi que c'est un cours d'histoire de la musique, pré-Lady Gaga, blagua-t-il.

– On va écouter de la musique classique ?

– Ne t'inquiète pas, tu survivras !

Ils se rapprochèrent de l'étincelant cube de verre qui contenait la salle de concerts.

– Je n'aurais pas imaginé qu'un fan d'électro allemande puisse aussi aimer Beethoven, dit Carina.

Ils pénétrèrent dans le hall vitré aux lignes pures. Celui-ci était presque vide. Un ouvreur déchira leurs tickets au bas de l'escalier mécanique.

– J'ai grandi avec la musique classique, expliqua Alex. Ma mère était pianiste de concert, jusqu'au jour où elle a épousé mon père. Et ma sœur joue de la flûte. Moi, j'ai fait du violon.

– Ah oui ? Pourquoi tu as arrêté ?

Il la regarda.

– Quand on est un garçon, un peu petit pour son âge, et qu'en plus on se fait tabasser régulièrement, on arrête le violon le plus vite possible.

– Je vois.

À l'étage, un autre ouvreur leur fit directement franchir une double porte.

– Tu as un abonnement ? demanda Carina en entrant dans un vaste auditorium aux murs de bois, qui baignait dans une douce lumière ambrée.

– Non, c'est gratuit. Tous les mercredis, certains élèves de Juilliard viennent jouer ici. C'est ouvert au public. Mais ce n'est pas connu du tout.

– Sauf de toi !

Ils s'assirent et Alex déboutonna son manteau.

214

– Et de toi aussi, à présent.

Comme il retirait son manteau, elle en profita pour regarder discrètement comment il était habillé. À la place de l'habituelle combinaison sweat-tee-shirt, il portait une chemise à rayures grises. Et la présence de gel dans ses cheveux se confirmait.

Il surprit son regard.

– Quoi ?

– Rien !

Les joues rouges, elle se tourna vers la scène.

Que se passe-t-il ? pensa-t-elle. Lui plaisait-elle, ou non ? L'ancienne Carina aurait sorti une blague pour le savoir. Quelque chose comme *Où est passé le tee-shirt des Smiths ?* ou *C'est pour moi que tu t'es fait beau ?* Mais elle était devenue une personne différente. Le genre de personne qui ne savait plus plaisanter et flirter avec les garçons. Ou bien peut-être était-elle cette personne uniquement avec Alex. Quelque chose, en lui, la poussait à vouloir mûrir un peu.

– C'est un quatuor à cordes, lui chuchota Alex à l'oreille. Deux violons, un violoncelle, et il y a aussi un violiste. Je crois qu'ils vont jouer du Beethoven.

Les lumières s'éteignirent peu à peu et deux filles et un garçon, en blaser et jean, entrèrent en scène, leurs instruments à la main. Un quatrième les rejoignit avec son violoncelle.

– Qu'est-ce que c'est, un violiste ?

– C'est quelqu'un qui joue de la viole.

Ah. Elle n'avait jamais entendu parler de cet instrument. Pour ce qu'elle en voyait, cela ressemblait fort à un violon.

Les applaudissements se turent et les lumières s'éteignirent complètement. Alors, ils commencèrent à jouer.

215

Carina, assise dans le noir, se préparait à écouter poliment cinq minutes avant de faire une sieste discrète. Mais dès les premières notes, elle fut totalement transportée. Au lieu de l'endormir, la musique la réveillait. C'était à la fois énergisant et relaxant.

– Ferme les yeux, lui dit Alex tout bas.

Ce qu'elle fit. La musique emplissait l'espace tout autour d'elle. Elle se rappela la comparaison entre musique et paysage. Elle l'entendait, à présent – toutes les lignes musicales se séparant pour mieux se retrouver. Comme des vagues, le son la submergeait, la traversait, la calmait. Tout ce qu'elle avait dit à son père, toutes les questions qui se télescopaient dans sa tête, tout cela s'apaisa. Remplacé par la musique. Jusqu'au moment où elle sentit le bras d'Alex contre le sien.

Elle rouvrit les yeux. Oui, son bras était là, tout près, et leurs poignets se frôlaient. Ce contact lui envoya une décharge de picotements jusque dans l'épaule.

Alex, lui, ne semblait pas s'en apercevoir. Les yeux rivés sur la scène, il était totalement absorbé par la musique.

Carina tenta de se concentrer à nouveau sur le concert, mais impossible. Était-ce fait exprès ? Ou non ? L'ancienne Carina aurait fait quelque chose pour le savoir, comme lui prendre la main ou lui chatouiller la paume. Mais la nouvelle restait sans bouger et sentait la chaleur de sa peau remonter le long de sa manche.

L'ancienne Carina ne se serait pas étonnée de lui plaire. Mais la nouvelle, si. Alex la connaissait réellement et pourtant il l'aimait quand même. Et là, assise parfaitement immobile parmi les vagues de la musique, le cœur battant la chamade, elle comprit qu'il lui plaisait aussi.

Chapitre 21

Après le concert, alors qu'ils se levaient pour remettre leurs manteaux, Carina se demanda si l'ambiance entre eux allait être gênée, après plus d'une demi-heure de contact semi-accidentel entre leurs bras. Mais Alex ne semblait pas perturbé le moins du monde.

– Pas mal, hein ? commenta-t-il dans l'Escalator. Quand on pense que ce ne sont que des étudiants !

– Oui, c'est incroyable. Tu aimerais aller à Juilliard, toi aussi ?

– J'aurais aimé, mais j'ai raté ma chance. J'ai cessé de jouer il y a deux ans.

– Eh bien, recommence ! Je suis sûre que tu peux te rattraper. Je veux dire, si c'est vraiment ce que tu veux.

Alex, amusé, lui donna un petit coup de coude dans les côtes.

– Merci pour les conseils de vie. Et toi, où voudrais-tu aller ?

– Je ne sais pas. Sans doute dans le Colorado, pour pouvoir faire de la randonnée. C'est ça que j'aime le plus.

Ils sortirent dans la rue.

– Et ton père, qu'est-ce qu'il en pense ?

– Mon père ?

– J'imagine qu'il veut te coller au boulot, non ? Te faire bosser dans sa boîte ?

– Mais moi, je ne veux pas bosser pour lui. Qu'est-ce que tu dirais, si quelqu'un te dictait ce que tu dois faire ?

– J'aimerais beaucoup que mon père me dise quoi faire.

Carina continua de marcher auprès de lui en silence. Apparemment, le père d'Alex n'était plus là. Elle fut soudain gênée de ses propres jérémiades.

– Alors, dis-moi ce qu'il a fait pour te mettre tellement en colère, insista Alex. Tu sais, quand tu as fait je ne sais quoi pour te venger.

Carina chercha ses gants dans sa poche.

– C'est une longue histoire.

– Pour info, je ne bosse pas pour les tabloïds, tu sais.

– Toi, non. Mais je connais une fille qui le fait peut-être.

Il la sonda du regard.

– Je suis sérieux. Dis-moi.

– OK. Mon père a trompé ma mère, lâcha-t-elle soudain. Il avait une maîtresse et ma mère l'a quitté. Elle voulait que je vive avec elle, mais il a menacé de la traîner en justice. Et elle n'a pas eu le choix. Comme d'habitude.

Alex écoutait attentivement.

– Et c'est pour ça que tu lui en veux toujours ?

– Il est tellement obsédé par sa boîte qu'il ne sait même pas que j'existe. Et je me demande vraiment pourquoi il a tant voulu que je vive avec lui. Je ne sais pas si c'était lié à moi, ou si c'était juste pour avoir le dernier mot.

Ils passaient devant une rangée de belles maisons traditionnelles. Alex écoutait toujours sans rien dire.

218

– Mais attention, ne le dis à personne. L'infidélité, je veux dire. *Personne !*

– Je ne dirai rien. Et c'est terrible. Vraiment. Mais il y a un moment où il faut tourner la page. Tu ne peux pas passer le restant de tes jours à détester ton père pour une chose qu'il a faite dans le passé.

– Tu veux que j'oublie, comme ça ?

– Non. Je dis juste que tu n'y peux plus rien. C'est terminé. Désormais, il faut que tu t'arranges pour cohabiter avec lui. Et ça ne tient pas qu'à lui.

– Comment ça, ça ne tient pas qu'à lui ?

Ils s'engagèrent dans l'avenue qui longe Central Park, côté ouest. Un bus approchait lentement et Carina, qui sentait la colère monter en elle, envisagea un instant de monter dedans.

– Tout ce que je veux dire, c'est que tu dois faire la moitié du chemin. Toi aussi, il faut que tu fasses un effort pour t'entendre avec lui.

– Écoute, tu ne connais pas la situation.

– Et l'autre femme, dans tout ça ? Il est encore avec elle ?

– Non.

– Qui était-ce ? Tu l'as rencontrée ?

– Non, mais qu'est-ce que ça peut faire ? s'exclama-t-elle, réellement énervée. C'est arrivé, de toute manière. Alors, quelle importance, qui elle est ?

– Bon, au moins tu ne l'as pas sous le nez en permanence.

Carina s'arrêta net pour le regarder.

– Mais c'est quoi, ton problème ?

– Mon problème ?

219

– Tu fais tout pour me donner l'impression que je n'ai pas le droit d'être en colère.

Alex soupira. Dans la lueur orangée des réverbères, son regard était intense et direct.

– Carina. Je te dis juste qu'il faut passer à autre chose. C'est de ta vie qu'il s'agit. Tu ne peux pas la gâcher entièrement pour un événement qui appartient au passé.

Carina se mordit la lèvre, exaspérée.

– Merci de ta compréhension, grogna-t-elle. Je crois que je vais rentrer.

Et elle fit demi-tour.

– Eh, attends !

Alex la prit par le bras. Malgré sa colère, Carina sentit ses genoux faiblir.

Il sourit et la fit pivoter face à lui.

– Je suis désolé. Je suis de ton côté. Vraiment. C'est juste que parfois, je parle trop. Demande à ma mère et à ma sœur.

– Je n'y manquerai pas, répondit-elle en tâchant de ne pas sourire.

Il sortit son téléphone.

– En fait, tu peux leur demander tout de suite. (Il tapa un SMS.) Tu veux que je te les présente ?

– Maintenant ?

– J'ai rendez-vous avec elles, dit-il en pointant le doigt vers le bout de la rue.

Carina regarda en plissant les yeux. Au loin, elle vit une foule, des lumières, et quelque chose qui ressemblait à un énorme immeuble suspendu en l'air.

– Qu'est-ce que c'est que ça ? Oh, mon Dieu ! C'est *ça* !

220

Les ballons géants de la grande parade de Thangksgiving étaient en train d'être gonflés au coin de la 81ᵉ Rue, juste en face du Muséum d'histoire naturelle. C'était une célèbre tradition new-yorkaise.

– Je n'ai jamais fait ça ! s'écria-t-elle.

– Tu n'es jamais venue avec tes parents ? s'étonna Alex.

– Non, mais j'ai toujours voulu.

Elle n'avait pas envie de lui révéler que ses deux meilleures amies étaient les filles de Katia Summers et de Holla Jones, qui auraient déclenché une émeute si elles avaient été vues dans un lieu public comme celui-ci.

– Allez viens ! Allons-y !

Ils pressèrent le pas, courant presque, pour rejoindre le spectacle surréaliste d'un Kermit la Grenouille géant flottant dans le ciel, maintenu par des cordes. Ils tournèrent dans la 81ᵉ Rue.

– Ma mère doit être par là, dit Alex en prenant Carina par le bras pour la guider dans la foule massée derrière les chevaux de la police montée. On s'installe toujours à peu près au même endroit.

– Alex ! cria quelqu'un.

Une fille de l'âge de Carina se frayait un chemin entre les badauds pour se rapprocher d'eux. Elle avait une mèche de cheveux violette, une oreille entièrement percée de haut en bas et une robe de laine anthracite à gros boutons rouges, avec un collant à rayures noires et blanches.

– Ouf, tu es enfin là ! dit-elle en prenant Alex par le bras. Maman a déjà kidnappé au moins vingt personnes, et elle en a invité la moitié pour Thanksgiving demain. Au secours !

Elle montra, d'un coup de menton, une petite femme brune qui se tenait à quelques pas et bavardait avec un jeune couple.

– Carina, je te présente ma sœur, Marisol. Qui trouve aussi que je parle trop.

– Ah ça, c'est peu dire ! confirma Marisol en riant et en serrant la main de Carina.

La sœur d'Alex avait les mêmes grands yeux noisette et les mêmes pommettes gracieusement dessinées, mais elle avait un look encore plus artiste que son frère.

– Ravie de te connaître enfin. Alex nous a beaucoup parlé de toi.

– Ah bon ? Qu'est-ce qu'il vous a dit ?

Alex donna à sa sœur un grand coup de coude, qu'elle lui rendit immédiatement.

– Hum, seulement que tu es très sympa. Alors, qu'est-ce qui s'est passé ? Il t'a soûlée de paroles ?

– Non, pas du tout, répondit Carina en rougissant un peu.

Il avait parlé d'elle à sa sœur ? Jamais elle ne se serait attendue à cela.

– J'aime bien ta robe. Elle vient d'où ?

– Du Goodwill[1] de Williamsburg. Elle était à cinq dollars, une fortune pour ce genre d'endroits. Tu y es déjà allée ?

– Euh, non. Mais j'aimerais bien y faire un tour.

– Je t'y emmènerai un de ces jours. Tu es tellement menue, tu y dénicherais sans doute plus de choses que moi.

---

1. Sorte d'équivalent d'Emmaüs.

– Attends, Marisol. Avant que vous vous mettiez à parler chiffons : tu nous as pris les billets pour le Texas ?

– C'est maman qui les a pris. On part la veille de Noël. Ça te va comme ça ? Ou tu dois encore mixer quelque part ?

– Qu'allez-vous faire au Texas ? s'enquit Carina. Vous avez de la famille là-bas ?

– Non, on va construire des maisons pour une ONG, Habitat pour l'humanité, expliqua Alex. On fait ça depuis deux ans. C'est très chouette.

– Mon frère dit ça parce qu'il monopolise tous les travaux les plus sympas, précisa malicieusement Marisol. Moi, je me retrouve à trimballer les poutres.

– Oh, allez, c'est toi qui fais le plus agréable. Ma sœur est une artiste, ajouta-t-il à l'intention de Carina. C'est elle qui commande quand vient le moment de peindre les maisons.

– Ouah ! fit Carina, sincèrement impressionnée.

– Tu sais, j'ai pensé à quelque chose, dit alors Alex en se frottant les mains. Il te faut encore des fleurs pour ton gala, non ?

– Si.

Elle avait presque complètement oublié ce fichu gala.

– Eh bien, Marisol fait des sculptures de fleurs magnifiques, peintes à la main. Ce serait peut-être plus original que de vraies fleurs.

– On pourrait s'en servir ?

Marisol tirait sur sa mèche violette.

– Du moment qu'elles ne sont pas saccagées pendant la soirée, oui, bien sûr.

– Et si elle les prêtait, elle pourrait peut-être être invitée, suggéra Alex. Il n'y aura que des gens de son âge, n'est-ce pas ?

Marisol piqua un fard et donna une tape à son frère.

– Alex, enfin !

– Non non, je suis sûre que ça ne poserait aucun problème, dit Carina tout en s'efforçant d'imaginer Marisol, avec son look déjanté, tentant de se mêler aux amis d'Ava. Je peux lui obtenir une entrée. Et je serais ravie d'utiliser ces fleurs.

Marisol s'illumina.

– Génial ! Et de mon côté, je pourrais t'aider à t'habiller pour l'occasion.

– Marché conclu !

Au même moment, une petite femme brune – la mère d'Alex – sortit de la foule et se pendit au cou de son fils.

– Bonjour mon chéri !

Mme Suarez était si minuscule qu'elle dut se hausser sur la pointe des pieds pour lui faire une bise. Elle avait les cheveux coupés au carré, mi-longs, et des yeux de biche. Carina vit clairement qu'elle avait dû être d'une beauté remarquable, dix ans plus tôt.

– Comment était le concert ? demanda-t-elle.

– Formidable. Maman, je te présente Carina.

Celle-ci la salua et lui tendit la main. Mais la femme lui sauta au cou, comme elle l'avait fait avec son fils.

– Oh, mais tu es gelée ! dit-elle en lui tapotant la joue.

Aussitôt, elle se baissa, puis déposa une tasse remplie d'un liquide sombre dans la main de Carina.

– Voilà qui te réchauffera.

Carina prit une gorgée. C'était à la fois plus sucré et plus fort que le *café latte* dont elle avait l'habitude.

– Merci, qu'est-ce que c'est ?

– *Café con leche.* Mais ne t'en fais pas, c'est du déca. Du vivant du père d'Alex, nous venions toujours à la parade et j'en apportais un bidon entier, que je traînais sur roulettes, comme une valise. Mais il supportait mal la caféine. Il se mettait à raconter des blagues consternantes ! rit-elle. Alors maintenant, c'est déca pour tout le monde.

Donc, le père d'Alex était mort. Cela expliquait sa réflexion de tout à l'heure, et aussi son indulgence envers le Jurg. Carina en fut si peinée pour lui qu'elle eut envie de le serrer dans ses bras, là, devant tout le monde.

– C'est bon, maman, tu peux cesser de monopoliser mon amie, maintenant, dit Alex en touchant l'épaule de Carina. Il faut qu'on parte.

– Tu fais quelque chose pour Thanksgiving demain ? demanda la mère. Il faut que tu viennes. Allez !

– J'adorerais, répondit Carina sans mentir. Mais je ne serai pas en ville.

Je serai en prison, ajouta-t-elle mentalement.

– Bon, si jamais tu changes d'avis, il y aura à manger pour un régiment !

Sur ce, Alex entraîna Carina dans la foule.

– Désolé, ma mère est parfois un peu envahissante.

– Ça ne fait rien. Je sais d'où tu tiens ça, maintenant ! Mais je devrais sans doute rentrer. Mon père part pour Montauk tard le soir, pour éviter les embouteillages. Mais merci encore pour le concert.

– De rien.

Il l'entraîna à l'écart de la foule, dans le parc, en face de la grosse sphère du planétarium, faiblement éclairée en rose.

– Je crois que ma famille voudrait t'adopter, ajouta-t-il.

– Sans problème, s'esclaffa Carina. Tu as beaucoup de chance.

– Oui, je sais. (Il se passa une main dans les cheveux.) Mais tu sais ce que c'est. Parfois, je n'ai pas cette impression.

Ils s'arrêtèrent sous l'un des gros ormes plantés devant le planétarium, et Carina se serra les flancs pour se tenir chaud.

– Je suis désolée pour ton père. Pourquoi tu ne m'as rien dit ?

Alex hocha la tête et regarda par terre.

– Ce n'est pas mon sujet préféré.

Elle lui toucha le bras.

– Tu sais, toi aussi tu peux tout me dire, murmura-t-elle. Si tu en ressens le besoin.

Alex releva les yeux vers elle, et elle vit, à sa manière de la scruter en détail, qu'il était étonné de ce qu'elle venait de dire.

– D'accord, souffla-t-il.

Ils n'étaient séparés que par quelques centimètres, et dans le noir, elle eut cette sensation familière, ce picotement d'adrénaline, qui précède un baiser. Elle se rapprocha et ferma les yeux. Ça y était. Ils allaient s'embrasser. Elle retint son souffle, attendit qu'il passe à l'action... et sentit ses mains lui presser doucement les bras.

– Joyeux Thanksgiving, dit-il.

Elle rouvrit les yeux. C'était comme si elle venait de se prendre un seau d'eau froide sur la tête.

– Ouais. Toi aussi. (Elle trébucha sur un caillou dans le noir.) Amuse-toi bien au Texas.

– Ce n'est pas pour ce week-end. C'est pour les vacances de Noël.

– Ah oui. (Elle trébucha de nouveau.) Bon, ben... joyeux Thanksgiving à toi. Salut.

– Salut.

Elle lui fit un vague signe de la main, se sentant un peu bête, et repartit par où ils étaient venus, contente que la nuit dissimule ses joues brûlantes. Elle s'était trompée sur toute la ligne. Il n'était pas attiré par elle. Il n'avait rien voulu d'autre qu'une sortie amicale. Peut-être qu'il parlait de *toutes* ses amies à sa sœur. Elle avait mal interprété son attitude du début à la fin, songea-t-elle avec une bouffée de panique qui lui retourna les entrailles.

Mais cela ne l'étonnait pas. Après tout, Alex était entièrement différent des autres garçons qu'elle connaissait. Il était gentil et attentionné, il écoutait du Beethoven, il avait ses entrées dans toutes les boîtes, et en plus il faisait de l'humanitaire pendant ses vacances. Elle était peut-être trop superficielle pour lui. Peut-être, pensa-t-elle avec un léger hoquet, la plaignait-il.

Un autre bus arrivait et Carina courut vers l'arrêt en agitant frénétiquement les bras. Quelques mois plus tôt, c'est elle qui aurait dû repousser Alex, après quoi elle aurait hélé un taxi et serait montée dedans en lui soufflant coquettement un baiser. À présent, elle courait comme une folle vers un bus après s'être pris un râteau magistral. Que lui était-il donc arrivé ?

Le bus s'arrêta en soupirant et en grinçant, et Carina sauta dedans pendant que son téléphone se manifestait : *DING-DONG !* Un texto du Jurg.

T où ? Départ dans une demi-heure.

Elle s'assit et laissa retomber l'appareil dans son sac. Elle était bonne pour quatre longs, très longs jours.

Chapitre 22

– Carina ? *Carina* ?

Son père l'appelait, mais elle ne bougea pas du canapé, si ce n'est pour attraper la télécommande et monter le son. Jusqu'à présent, elle avait passé à peu près tout le week-end immobile, couchée sous un plaid en mohair, à regarder la télé. Le Jurg l'avait invitée à son dîner de Thanksgiving annuel la veille au soir, mais leur dispute dans le bureau de Barb flottait encore entre eux, si bien que l'ambiance était encore plus tendue que d'habitude. De plus, elle n'était pas d'humeur à regarder les invitées du Jurg se tortiller pour lui montrer leur décolleté. Elle avait donc mangé sa dinde et ses patates douces devant l'écran plat, en regardant *La Mélodie du bonheur* et en se lamentant sur son sort. Et puis, elle s'était mise à penser à Alex.

En fait, elle avait énormément pensé à lui. Depuis leur presque baiser à la parade, elle avait imaginé toute une série de scénarios menant à un vrai baiser. Dans Central Park, devant le planétarium, où ils s'étaient dit au revoir ; au rayon surgelés de *Joe l'Épicier* ; ou encore au club *Neshka*, devant tous les jeunes qui dansaient. Elle avait envie de le voir, de parler avec lui, d'être avec lui, de marcher avec lui dans les rues de New York. Et elle avait *très* envie de lui écrire quelque chose. Mais chaque fois qu'elle tapait un SMS, du style « Joyeux jour de la Dinde ! », cela ressemblait à une manière déguisée de lui dire « Je suis dingue de toi », et elle effaçait le message sans l'envoyer.

C'était vendredi, il n'était que seize heures. Conclusion : elle devrait attendre encore au moins quatre jours avant de pouvoir l'appeler sans que ce soit ridicule. Elle soupira dans les coussins. Elle était folle de lui, et cela la rendait malheureuse. Dehors, au-delà de la piscine, l'Atlantique, d'un calme exaspérant, venait mourir sur la grève. Elle aurait tué pour surfer sur une bonne vague, ne serait-ce que pour oublier un instant ce garçon.

Son père entra dans la pièce.

– Carina ? Encore devant cet écran. Quelle surprise.

Dans son « uniforme » des Hamptons – cachemire beige et jean –, le Jurg avait l'air un peu ringard, dépourvu de sa puissance habituelle, comme une sorte de Clark Kent des temps modernes.

– Tu ne veux pas aller faire un tour à Amagansett ? Ou à East Hampton ?

– Et que veux-tu que je fasse en ville ?

Son père s'assit sur une banquette design en cuir noir.

– Je ne sais pas. Prendre l'air. Sortir de la maison.

– Il fait un froid de canard. Ça te dérange que je sois là ?

– Non, ça ne me dérange pas. Écoute, à propos de notre dispute de l'autre jour...

Carina entendit son BlackBerry sonner faiblement.

– Attends un instant, dit-il en le sortant de sa poche.

Oui ? Mais je croyais qu'Ed s'en occupait... (Long soupir contrarié.) Bon, si c'est comme ça, je vais me préparer.

Il raccrocha.

– Je viens d'apprendre qu'il faut que je retourne à Londres pour quelques jours. Ça te va de rester ici toute seule ? Ou préfères-tu rentrer à New York ?

Elle s'assit toute droite. Rentrer à New York signifiait revoir Alex.

– Je rentre ! dit-elle joyeusement.

– Désolé de devoir partir.

Elle regarda son téléphone à panda, posé sur la table basse. À présent, elle savait précisément quoi écrire à Alex...

– Carina ? Tu as entendu ce que je viens de dire ?

– Oui, tu pars pour Londres. Je te reçois cinq sur cinq.

Elle tendit la main vers l'appareil, l'ouvrit, et entendit son père se lever.

– Carina...

Elle leva les yeux.

– Oui ?

Il regardait à travers elle et semblait soudain perdu. Elle se demanda s'il avait dit quelque chose qu'elle n'avait pas capté.

– Rien, dit-il finalement en secouant la tête. On se voit à mon retour.

Et comme il sortait lentement, Carina se mit à taper.

Salut ! Je rentre à NY. Tu fais quoi ?

Alex répondit au bout de deux minutes.

231

Y a des restes. Viens. 45, Forsyth Street, apt 5W. Dix-neuf heures.

Dîner chez lui ? pensa-t-elle, abasourdie. Finalement, il pensait peut-être à elle, lui aussi.

Super, j'apporte qqch ?

Rien que toi.

Elle en laissa tomber son téléphone. Elle ne voulait pas trop interpréter, mais c'était forcément un signe. *Rien que toi.* Son cœur se mit à tambouriner. Elle avait trop hâte de le voir. Il fallait déjà qu'elle localise Forsyth Street.

– Tiens, Carina ! s'exclama Marisol en lui ouvrant la porte. Entre !

La jeune fille portait une robe-chemise en jean effiloché, un collant arc-en-ciel et des Keds éraflées, mais l'effet était tellement mode qu'il ressemblait à l'œuvre d'une styliste.

– C'est trop bien que tu sois venue ! Et ce n'était pas la peine d'apporter ça !

Elle désignait les marguerites enveloppées de papier cristal que Carina avait à la main, et lui attrapa le bras pour l'attirer à l'intérieur.

– Tu es superbe ! ajouta la jeune fille avec admiration.

– Ah bon ?

Carina, surexcitée, n'avait même pas pris le temps de s'arrêter chez elle pour mettre autre chose que son pull et son jean. Elle s'était rendue directement de la gare à l'appartement d'Alex, dans le Lower East Side.

– C'est très gentil de m'avoir invitée...

– Oh, viens voir mes sculptures de fleurs ! s'écria Marisol en la tirant par le bras pour l'amener jusqu'à une chambre au bout d'un couloir. Je les ai toutes sorties pour toi. Voilà ! (Elle alluma la lumière.) Qu'est-ce que tu en penses ?

Carina hésita un instant sur le pas de la porte. La chambre de Marisol n'était pas plus grande que sa penderie, et les murs étaient couverts de photos. Des photos de tableaux modernes. De sculptures. Mais, surtout, des photos découpées dans des magazines de mode. Il y en avait des centaines, dont certaines remontaient à deux ans. Le tout formait une sorte d'autel dédié à la mode. Carina fut si distraite par ces images qu'elle ne vit pas tout de suite les fleurs en papier mâché, vivement colorées, disposées sur la commode. Chacune avait au moins trois couleurs imbriquées qui tournoyaient sur les pétales dans une sorte d'explosion kaléidoscopique. Alex n'avait pas menti. C'était absolument unique.

– Oh, Marisol ! dit-elle en s'approchant. Elles sont extraordinaires. C'est toi qui les as faites ?

– Eh oui. Ça t'intéresse toujours ?

Carina en prit une dans sa main.

– Bien sûr. Tu as tout peint toi-même ?

– Ça ne m'a pas pris longtemps.

– Je sais à peine faire des coloriages. Tu as beaucoup de talent, tu sais ?

– Bah, merci, fit Marisol en effleurant les pétales du bout des doigts. Je me demandais une chose. Si ce n'est pas embêtant, peut-être qu'au gala tu pourrais mettre quelque part un écriteau disant que c'est de moi ?

– C'est comme si c'était fait.

Carina ne savait pas trop ce qu'Ava penserait d'une déco assurée par une élève de quatrième, mais elle s'en soucierait plus tard.

– Super ! (La sœur d'Alex ramassa un classeur à côté de son lit.) Parce que je suis déjà en train de concevoir ma robe. J'hésite entre des manches chauve-souris et un bustier corseté.

Elle ouvrit le classeur. Il contenait des pages de magazines rangées dans des pochettes en plastique.

– Qu'est-ce que c'est ? s'enquit Carina.

– Mon inspiration, expliqua Marisol, assise en tailleur sur son lit. Ce que j'aime garder en tête pour créer mon look.

– Tu couds tes fringues toi-même ?

Carina était abasourdie.

– C'est facile ! La plupart du temps, je trouve quelque chose dans une friperie, et puis j'enjolive un peu. Tu as déjà essayé ?

– Essayé quoi ?

La voix d'Alex.

Carina fit volte-face. Debout dans l'encadrement de la porte, il l'observait avec un sourire timide qui lui donna les mains moites. Il avait retrouvé son look artiste : des manches longues marron sous un tee-shirt noir à l'effigie de Blondie. C'était mignon à pleurer.

– Marisol, on pourrait peut-être laisser Carina manger ?

– On parlait du gala, expliqua cette dernière. Au fait, je veux ces sculptures de fleurs, absolument.

– Et moi, je vais au bal, absolument, annonça fièrement Marisol. Il ne me reste plus qu'à trouver comment je vais m'habiller.

234

– Vous pourrez parler mode plus tard. J'ai faim.

La main d'Alex, sur le bras de Carina, était chaude et réconfortante lorsqu'il l'entraîna dans le couloir.

– Merci d'être venue jusqu'ici. Ma mère a failli faire une crise cardiaque quand je le lui ai dit.

– Tiens, c'est pour toi, dit-elle en lui tendant les marguerites qu'elle avait toujours à la main. Je veux dire, pour ta mère.

Heureusement, Alex ne releva pas sa gaffe et prit simplement les fleurs.

– Alors là, elle va être carrément dingue de toi. Les marguerites sont ses fleurs préférées. Bienvenue dans la famille.

Ils entrèrent dans l'étroite cuisine encombrée, où plusieurs adultes buvaient du vin. Des odeurs de cannelle, de citrouille et de patate douce réveillèrent l'estomac de Carina. Mme Suarez, rajeunie et encore plus jolie en jean et col roulé bordeaux, sortit un plat brûlant du four.

– Bonjour, madame Suarez.

– Carina ! Comme je suis heureuse que tu aies finalement pu venir ! Tiens, prends une assiette et sers-toi. J'espère que tu as faim.

Mme Suarez lui indiqua la table, qui était couverte de plats de patates douces braisées, de sauce aux airelles, de riz sauvage, d'enchiladas au fromage et de restes de dinde rôtie.

– Tout a l'air délicieux, commenta Carina.

La mère d'Alex posa le plat brûlant sur la table.

– Ragoût aux haricots verts, annonça-t-elle. C'est encore meilleur réchauffé.

235

– Tout m'a l'air bien meilleur que ce que j'ai mangé hier soir, continua Carina en déversant une grosse louchée de patates douces dans son assiette. Merci de m'avoir invitée.

– Tu n'as pas dîné en famille ? demanda Mme Suarez en couvrant un plat de farce de papier aluminium.

– Juste avec mon père. Il avait des invités, mais c'était plutôt un dîner de travail. Pas vraiment familial.

– Et que fait-il dans la vie ?

Carina la regarda avec des yeux ronds. En principe, les gens le savaient déjà. C'était comme un gros titre, quand on parlait d'elle. *C'est la fille de Karl Jurgensen.* Mais apparemment, Alex n'avait pas jugé utile de le préciser.

– Il est, euh... dans les affaires, dit-elle simplement en jetant un coup d'œil à Alex, de l'autre côté de la table.

Après qu'elle se fut resservie deux fois, et qu'elle eut encore bavardé avec Marisol, il se tourna vers elle.

– Bon, c'est l'heure d'y aller, annonça-t-il en posant sa serviette. On n'a pas beaucoup de temps.

– Où va-t-on ?

– C'est une surprise.

– Ouh, encore de l'éducation musicale ?

Alex décrocha son manteau militaire.

– Fais-moi confiance.

À côté d'elle, Marisol sourit largement avant de se remettre à manger ses haricots verts.

– Amusez-vous bien, tous les deux, dit-elle d'un air mystérieux.

Ils prirent congé de Mme Suarez et de Marisol. Lorsqu'ils eurent longé tout un pâté de maisons dans le froid et en silence, Alex reprit la parole.

– Merci d'avoir invité ma sœur au bal. Ce sera le clou de son année.

– De rien. Merci de m'avoir fait connaître son art. Elle est brillante. Et, sérieusement, si je peux faire quoi que ce soit...

– C'est bien qu'elle y aille. C'est dur pour elle, au collège. Ses amies se sont retournées contre elle, ce genre de choses. Ça lui fera du bien que les gens apprennent qu'elle va à ce gala. Même si, pour ma part, je trouve que c'est une vaste perte de temps !

Il lui fit un clin d'œil et se coiffa d'un bonnet de laine vert.

– Alors comme ça, tu n'as pas dit à ta mère qui j'étais.

Alex l'observa attentivement.

– Tu voulais que je le lui dise ?

– Non, mais simplement je n'ai pas l'habitude. Tout le monde le fait.

– Et tu crois que c'est pour ça qu'on t'aime ?

Carina savait qu'il ne voulait pas la vexer, mais sa question l'avait quand même piquée au vif.

– Non, bien sûr que non. C'est juste que ça a toujours fait partie de moi. Où que j'aille. Quoi que je fasse. C'est comme la couleur de mes cheveux, ou celle de mes yeux, ou mon prénom. Une partie de moi. Alors, ça m'étonne que tu n'en aies pas parlé, c'est tout.

– Ce n'était pas important, dit-il avec un haussement d'épaules. Pour moi, tu es Carina tout court. Tu l'as toujours été.

Son cœur battait si vite qu'elle crut qu'il allait lui remonter dans la gorge et rester bloqué là. Pour la première fois, elle se demanda qui d'autre aurait pu lui dire ça, à part Lizzie et Hudson. Probablement personne.

Elle préféra changer de sujet.

– Au fait, ta mère est vraiment formidable.

– Oui, je sais. Chaque fois que je l'imagine seule jusqu'à la fin de ses jours, ça me tue.

– Tu étais proche de ton père ?

Alex ne dit rien pendant une minute.

– Pas autant que j'aurais dû, avoua-t-il enfin.

Carina glissa sa main sous son bras.

– Je suis désolée pour toi.

Alex lui pressa la main.

– Et moi, je suis très heureux que tu sois venue ce soir, dit-il tranquillement. Je ne sais pas comment j'aurais tenu jusqu'à la semaine prochaine.

Elle s'autorisa à poser la tête légèrement contre son épaule, le temps de prendre pleinement conscience de ces mots.

– Moi non plus, murmura-t-elle.

Ils tournèrent dans Houston Street et Alex ralentit le pas. *Oh mon Dieu, ça y est, il va m'embrasser*, pensa-t-elle. *Enfin, cela va arriver.*

Mais il retira son bras et s'arrêta.

– On y est, annonça-t-il.

Elle leva la tête pour observer l'entrepôt désaffecté devant lequel ils se trouvaient.

– Ici ? C'est *ici*, ta surprise ? Tu es sûr ?

– Ne juge pas *a priori* ! Fais-moi confiance.

Il pressa un bouton sur la porte délabrée. Un bourdonnement, et ils entrèrent. À l'intérieur, ils découvrirent une entrée crasseuse et un monte-charge.

– C'est bon, j'ai la trouille, constata Carina en montant dedans.

– Tu as tort. Si je te disais qu'on va à un concert ? Une nouvelle étape dans le parcours d'initiation musicale de Carina ?

Elle observa les tags qui couvraient la cabine.

– Je répondrais que tu te mets le doigt dans l'œil.

– Aucune imagination, se lamenta Alex tandis que les portes s'ouvraient sur un vaste loft presque vide.

À l'intérieur, plusieurs hommes en tee-shirt noir étaient occupés à installer des amplis, des micros, et une batterie dans le fond. Plusieurs caisses d'équipement étaient empilées devant eux, et là, sur un étui à guitare, elle vit le logo The Killers peint au pochoir en grosses lettres blanches.

– Attends. Pourquoi est-ce écrit, là, ça ? On vient chercher des billets pour un concert des Killers ?

– Non, on vient *voir* un concert des Killers. Ici.

– Mais... comment c'est possible ? balbutia Carina pendant qu'un *roadie* passait devant eux, une guitare rutilante à la main.

– J'ai un copain qui loue cet espace pour les répétitions. Beaucoup de très bons groupes y viennent la veille de leurs gros spectacles. Il me prévient chaque fois que des musiciens que j'aime viennent jouer.

– Tu veux dire qu'en gros on est les *seules* personnes de l'extérieur à venir les voir ? demanda Carina, incrédule.

À part les techniciens, il n'y avait là qu'une poignée d'hommes et de femmes qui déambulaient, parlaient au téléphone ou envoyaient des SMS.

– Eh oui ! Pas mal, hein ?

Un grand type maigre d'une vingtaine d'années s'approcha d'eux et donna une poignée de mains compliquée à Alex.

– Quoi de neuf, mon pote ?

– Alex, comment ça va ? Content que tu sois là.

– Ted, je te présente mon amie Carina.

– Salut, Carina. Tu vas sans doute avoir besoin de ça.

Il lui tendit des bouchons d'oreilles en mousse. En regardant Ted parler, celle-ci n'en revenait toujours pas. Même son père n'aurait jamais pu la faire entrer dans un tel endroit. Alex avait eu raison, l'autre jour, chez *Joe l'Épicier*. Le meilleur de New York – et les meilleures expériences – ne coûtait pas un centime.

Comme Ted était parti s'occuper de problèmes de dernière minute, et juste avant que le groupe ne se mette à jouer, Alex la prit par le bras et l'amena devant la fenêtre.

– Regarde, le pont de Manhattan, dit-il en pointant le haut pont éclairé de petites loupiotes bleues. N'est-ce pas magnifique ?

Carina posa la main sur son bras.

– C'est la nuit la plus extraordinaire de ma vie, dit-elle.

Il lui sourit, la laissa se perdre dans ses yeux couleur de chocolat. Puis il se pencha vers elle, et elle ferma les yeux.

Et soudain, ses lèvres furent sur les siennes. Elle passa les bras autour de son cou. Il y eut des accords dissonants de guitare, un roulement de batterie : les *roadies* préparaient les instruments, mais elle le remarqua à peine. Elle avait tant attendu ce moment ! Maintenant qu'elle y était enfin, elle ne laisserait rien l'interrompre.

Leurs lèvres finirent par se séparer.

– Il y a très, très longtemps que j'avais envie de faire ça, dit-il.

– Moi aussi, répondit-elle sans détacher ses bras de son cou. Mais j'ai pensé que c'était mieux de te laisser faire le premier pas.

Alex sourit et s'inclina de nouveau vers elle. Comme leurs lèvres se retrouvaient, et que leurs bras se resserraient, Carina sut que, pour la première fois de sa vie, elle était exactement à sa place.

Chapitre 23

– Les filles, je n'en *peux plus*, dit Hudson. Rappelez-moi de ne plus jamais faire de stage avec le nouveau préparateur physique de ma mère. Cinq jours d'affilée de « cours de danse » non-stop, et en plus j'ai attrapé... je ne sais pas, au moins la grippe porcine.

Elle éternua si bruyamment que tous les autres dîneurs du restaurant tournèrent la tête.

– Tu n'aurais pas pu rester chez toi aujourd'hui ? demanda Carina en déballant discrètement son sandwich maison sous la table.

– Pour risquer une nouvelle séance de torture ? Non merci. (Elle se moucha dans un Kleenex.) C., laisse-moi te commander quelque chose, OK ? Tu n'as pas le droit d'apporter à manger, ici.

– Non non, ça va, dit-elle en jetant un rapide coup d'œil au dos tourné du serveur avant de mordre discrètement dans son sandwich et de le recacher sous la table. Tu as l'air vraiment malade, tu sais.

– Prends un Airborne, dit Lizzie en sortant de son sac un tube de médicaments. J'étais derrière un type qui avait une grosse crève, en rentrant de Caroline du Nord, et je crois que ça m'a sauvée.

– Ça t'a fait bizarre de ne pas être chez toi pour Thanksgiving ? lui demanda Carina.

– Un peu, mais pas trop. Sa famille maternelle m'a vraiment très gentiment accueillie. Et puis, la Caroline du Nord, c'est magnifique. Et Montauk, c'était comment ?

Carina sourit et reprit une bouchée en douce.

– Vous vous rappelez mon ami Alex ? Le DJ ?

Dans un rare accès de sang-froid, elle avait décidé d'attendre jusqu'au lundi pour donner à Lizzie et à Hudson les nouvelles en personne.

– Mmm, oui..., dit Hudson en trempant sa cuiller dans son bouillon de poule. C'est quand, déjà, son anniversaire ?

– Aucune idée. Mais devinez quoi ! On s'est embrassés.

Hudson en laissa tomber sa cuiller.

– Ah bon ?

– Eh oui ! On est allés à un concert au Lincoln Center, pour écouter des étudiants de Juilliard jouer du Beethoven, puis on a vu les ballons de la parade, et j'ai cru qu'il allait m'embrasser, mais non, souffla-t-elle d'une traite. Et ensuite, le soir d'après Thanksgiving, je suis rentrée à New York et on est allés à une répétition des Killers. On a eu un concert privé rien que pour nous. C'était juste incroyable.

– Nom de d'là ! s'écria Hudson. Les Killers ? Tu plaisantes ?

– Et il est adorable, et drôle, et beau, et merveilleux, poursuivit Carina. Vous allez l'adorer.

– Et Carter, dans tout ça ? s'enquit Lizzie abruptement en attaquant sa salade de pommes de terre. Je croyais que c'était lui qui te faisait craquer.

244

– Ça l'était, répondit Carina, légèrement irritée. Mais tu sais comment ça s'est fini. Maintenant, tout a changé.

– Donc, tu es amoureuse du DJ ? insista Lizzie avec une pointe d'aigreur.

Au même moment, Todd s'approcha de leurs banquettes et, pour la première fois de sa vie, Carina fut soulagée de le voir interrompre une conversation.

– Je peux me joindre à vous ? Je ne vous dérange pas ? demanda-t-il à sa manière délicieusement britannique.

– Mais non, viens, assieds-toi, lui dit Carina en se poussant pour lui faire de la place.

– On parlait justement de garçons, lui expliqua Lizzie en lui pressant la main. Carina a un amoureux.

– Ah oui, Carter..., dit distraitement Todd en prenant la carte. Ça en est où, cette affaire ?

Carina resta figée, les yeux rivés sur lui. Elle n'était même pas sûre d'avoir bien entendu. Lizzie lui avait parlé de son penchant pour Carter ?

Elle lança un regard à cette dernière, dont le visage pâle commençait à rosir.

– Tu lui as dit ?

– Je n'ai pas fait exprès, se justifia Lizzie en gratifiant Todd d'un regard sévère, qui voulait dire : « Tu viens de gaffer. » Ça m'a échappé.

– Oh, pardon, se hâta de dire Todd. Je ne sais rien. Rien du tout.

Carina avait une grosse boule dans la gorge. C'était une de leurs règles les plus anciennes : les conversations sur les amours restaient strictement confidentielles entre elles trois. Et voilà que Lizzie avait transgressé cette règle.

245

Carina remit sa nourriture dans son pochon.

– Je me tire, marmonna-t-elle, les joues en feu.

– Carina..., commença Lizzie.

Elle faillit pousser Todd pour passer, mais celui-ci se leva galamment.

– Carina, ne fais pas ça..., dit-il.

– C., allez... Je suis *désolée*, pardon, je...

Mais Carina ne la laissa pas continuer. Ramassant son sac de cours, elle fila droit vers la porte. Elle sentit le regard de tous sur elle dans la rue, mais elle s'en fichait.

Elle rejoignit le collège à grands pas, remarquant à peine les minuscules flocons de neige qui descendaient lentement du ciel. Avait-elle soufflé un mot à Todd quand Lizzie était amoureuse de lui ? Non. Pendant tous les mois où Lizzie lui avait couru après... Carina en avait-elle parlé à qui que ce soit ? Aurait-elle jamais trahi une amie de la sorte ? Jamais. Et Lizzie qui ne se gênait pas pour raconter à Todd les histoires d'amour de ses amies ! C'était à vomir. Et même si cela lui avait « échappé », ce n'en était pas moins une trahison.

– C. ! Attends-moi !

En se retournant, elle vit Hudson courir vers elle, manteau déboutonné.

– C., reviens ! Todd est complètement mortifié. Et Lizzie est hyper mal.

– Alors pourquoi est-ce qu'elle lui a dit ? C'est notre règle numéro 1.

Hudson haussa les épaules.

– Je ne sais pas. Ils sont ensemble, tu sais. Dans un couple, on se raconte tout. Quand on est amoureux, on jette parfois les règles aux orties.

246

– Oh, arrête, ils ne sont pas *amoureux*, cracha Carina. Ils sortent juste ensemble, comme tout le monde.

Hudson déglutit. Un flocon de neige atterrit sur le bout de son petit nez et fondit.

– Plus maintenant. Je crois qu'ils se sont dit qu'ils s'aimaient ce week-end.

Carina sentit comme un poids se déplacer en elle.

– Ils se sont *déclarés* ?

– C'est ce qu'elle m'a dit.

Et pas à moi, songea Carina. C'était une trahison pire que l'incident avec Todd.

Elle recula lentement.

– Je vais imprimer quelque chose en salle informatique. On se voit en cours d'espagnol ?

Hudson se décomposa.

– Carina, allez... Ne fais pas ça...

Mais elle fit volte-face et se hâta de regagner le collège, consciente que Hudson la regardait partir. Elle savait que c'était une réaction excessive, mais elle était trop perdue et trop en colère pour savoir comment se comporter. Lizzie avait trahi sa confiance, point final. Et en plus, elle avait trahi son amitié en lui cachant quelque chose.

C'était inconcevable. Sur les trois, c'était toujours Carina qui avait des petits copains. C'était elle qui conseillait les autres sur la manière de s'y prendre avec les garçons. C'était elle qui avait été embrassée en premier, invitée à dîner en premier, qui avait reçu le plus de lettres d'amour – bon d'accord, d'*e-mails* d'amour. Et voilà que Lizzie, qui n'était jamais sortie avec personne auparavant, la coiffait au poteau de la romance. Sans même le lui dire ! Était-ce

247

parce qu'elle percevait confusément l'agacement de Carina envers Todd ? Dans leur trio, jamais l'une des filles n'avait fait une confidence à une de ses amies et pas à l'autre. Elles ne faisaient qu'un, ou presque. Alors pourquoi Lizzie s'était-elle confiée à Hudson et pas à elle ?

En ouvrant brutalement la grande porte du collège, elle tomba nez à nez avec Ava et les Icks, qui sortaient. Les cheveux normalement auburn d'Ava étaient presque blonds, et sa peau avait un hâle qui ne pouvait venir que des tropiques. Comme d'habitude, elle ne s'étonna pas une seconde de voir Carina, bien qu'elles aient failli se foncer dedans.

– Ah, tiens, j'ai voulu t'envoyer des textos de l'île Moustique, mais je ne sais pas pourquoi, je n'avais pas de réseau sur la plage, dit-elle en grignotant des amandes séchées. Où en sommes-nous avec le fleuriste ? Tu as parlé à Mercer ? Le temps presse.

– À qui ?

Carina connaissait le nom de Mercer, mais elle n'arrivait pas à se rappeler d'où.

– Mercer *Vaise*. Le fleuriste que je veux. Tu lui as parlé ?

Carina réfléchit à toute vitesse.

– J'allais t'en parler. J'ai trouvé encore mieux.

– Ah oui ? (Ava glissa un regard dubitatif à Ilona, qui lui renvoya un sourire goguenard.) Qui ça ?

– Marisol Su...

Elle s'interrompit. Ava découvrirait forcément que Marisol avait quatorze ans. Mais elle n'avait pas besoin de savoir, en plus, que c'était la sœur du DJ.

– Marisol *Willis*. Elle sculpte des fleurs si parfaites qu'on dirait presque des vraies. Et est-ce que je peux l'inviter ?

Ava griffonna quelque chose dans son carnet.

– Ah bon, elle veut venir ?

– Je crois qu'elle aime voir ses fleurs en situation.

– Et *Sugarbabies* ? Tu les as appelés pour les desserts ?

– Oui oui. On a encore des détails à régler.

Satisfaite, Ava rangea son calepin.

– Pour info : les gens de Beauté pour New York sont *très* impressionnés par ce que tu as fait jusqu'à présent. Tu as reçu ton carton, n'est-ce pas ?

Carina fit oui de la tête. Il était toujours dans son enveloppe bordée d'or, sur son bureau, mais il n'était pas payé. Comment elle réunirait l'argent, ça, elle n'en avait encore aucune idée.

– Bon, faut que je file en espagnol, dit-elle, espérant ainsi se retirer gracieusement.

Mais Ava l'attrapa par le bras.

– Minute. On est toute une bande à aller chez Intermix chercher des robes après les cours. Pour être sûres de ne pas être habillées pareil mais de montrer qu'on est dans la même... bande.

– Euh... Je ne vais pas avoir le...

– On se retrouve dans le hall d'entrée. Quinze heures trente, dit fermement Ava avant de sortir avec les Icks.

Carina laissa la porte se refermer derrière elle.

Il y a toujours le placard à balais, songea-t-elle. Mais cette fois, elle ne pensait pas pouvoir s'en sortir par un mensonge. Et ceux qu'elle avait déjà proférés commençaient à former un gros tas menaçant. Le bal était dans moins de trois semaines et, pour la première fois, elle se demanda si elle allait pouvoir continuer à cacher tant de choses à Ava.

Elle culpabilisait encore plus en pensant à son chèque de mille dollars. D'autant qu'elle était sûre, à présent, de ne plus vouloir partir au ski avec Carter.

En montant vers sa salle de cours, elle tomba justement sur lui et Laetitia qui marchaient dans sa direction. Eux aussi venaient d'entrer : les flocons de neige encore pris dans les cheveux de Carter contrastaient avec son bronzage floridien. Laetita dégustait un énorme café à emporter de chez Starbucks et discutait avec lui, l'air blasé et revenu de tout, comme à son habitude.

La première impulsion de Carina fut de partir en courant. Elle n'avait encore répondu à aucun des mails de Laetitia concernant le Ritz-Carlton ou la réservation au restaurant. Mais il était trop tard. Ils l'avaient vue tous les deux.

Carter la salua en s'approchant et en déroulant son écharpe.

– Tu as passé un bon week-end ?

– Super, dit-elle en passant timidement d'un pied sur l'autre. Et la Floride ?

– Dément, comme d'hab. J'ai encore attrapé un marlin. Une bête énorme, comme ça ! dit-il en écartant les bras. J'ai mis la journée à le remonter. J'étais comme ce type... Tu sais... Dans un bouquin...

– *Le Vieil Homme et la mer* ?

Ils l'avaient tous lu en quatrième. Apparemment, le titre n'avait pas beaucoup marqué Carter.

– E-xac-tement, dit-il en pointant le doigt vers elle.

– Hum, tu as reçu mes mails ? s'enquit Laetitia d'une voix glaçante en la toisant de ses yeux bleus et las. Parce que tu es la seule à n'avoir pas répondu.

– En fait, je venais justement vous dire... Je crois que je ne vais pas pouvoir venir. Mon père veut qu'on passe les vacances en Jamaïque et il me force à y aller avec lui.

C'était un mensonge, mais celui-ci ne lui procurait aucune culpabilité.

– Ton père te force ? répéta Laetitia, incrédule.

Carina sentait le regard de Carter sur elle.

– Je ne suis pas vraiment sûre. Mais bref, je ne peux pas venir.

Laetitia eut un sourire plein d'ironie, comme si elle avait toujours su que cela arriverait.

– Tu vois ? dit-elle à Carter. Je t'avais dit qu'elle était trop jeune. (Puis elle se retourna vers Carina.) Dommage.

Elle prit Carter par le bras et, à cet instant, Carina comprit enfin pourquoi elle ne le laissait jamais seul. Elle était complètement amoureuse de lui.

– Allons-y, lui dit-elle.

Et ils s'en allèrent de leur pas traînant, la plantant là dans le couloir. Carter ne lui accorda même pas un dernier regard. Décidément, tout était fini entre eux. Mais au moins, cela faisait une personne de moins avec qui elle devait jouer un rôle.

Chapitre 24

— Bon, les filles, voilà la question, annonça Ava tandis qu'elles marchaient dans Madison Avenue, sous une légère averse de neige. Mon coloriste m'a légèrement éclairci les cheveux, et du coup je ne sais pas si je peux encore porter du violet. Quand j'étais auburn, ça fonctionnait. Maintenant, ça risque de jurer.

Carina, qui traînait à quelques pas en arrière, envisagea d'entrer discrètement dans une boutique L'Occitane et de s'y cacher jusqu'à ce que le groupe soit arrivé trois rues plus loin. Mais elle savait bien que c'était impossible.

Ilona, de son côté, ne s'arrêta pas à la question d'Ava.

— Mon Dieu, les filles, il y a un top à paillettes Stella McCartney que j'ai trop envie d'essayer. Il est *à tomber*.

— Quoi ? Tu ne vas pas assortir le haut et le bas ? demanda Kate, faussement horrifiée, en enroulant une mèche de cheveux noirs autour de son doigt.

— Bouh, les paillettes, c'est *totalement* de la saison dernière, ajouta Cici avec son accent traînant.

Quelles bonnes copines ! Bonjour la solidarité, pensa Carina. Elle consulta sa montre. Elle pouvait leur accorder cinq minutes. Juste le temps de dire : « Elle te va super bien » en voyant la robe d'Ava, et zou, elle serait dehors.

Lorsqu'elles entrèrent, la musique à fond, le violent éclairage halogène et les robes et tops scintillants, suspendus sur les portants, lui donnèrent presque le vertige. Elle se sentait comme un diabétique dans une confiserie. Elle jeta un regard circulaire sur les superbes vêtements et sentit son appétit de consommation revenir. Il y avait tant de belles choses ! Il lui fallait tout, tout de suite. Rien d'étonnant à ce qu'elle ait tant dépensé dans cette boutique.

Elle avisa la vendeuse qui se tenait derrière la caisse. Masse de cheveux cuivrés, poitrine en creux. Et là, elle se rappela que c'était ici que sa carte avait été refusée, le soir fatal. Il fallait vraiment qu'elle se tire, et en vitesse.

– Les filles, qu'est-ce que vous en pensez ? demanda Ava qui tenait devant elle une robe fendue violet électrique. Classe ou vulgaire ?

Cici plissa les paupières et inclina la tête sur le côté.

– Vulgaire, décida-t-elle.

Ava ne releva pas et se tourna vers Carina.

– Carina ? Ton avis ?

Elle observa la robe. Le violet allait bien avec la couleur de cheveux d'Ava, aucun doute là-dessus, et la longue fente était bien dans l'esprit « sexy, moi, vous croyez ? » qu'elle affectionnait. Mais là, Carina vit trois zéros sur l'étiquette.

– C'est... pas mal, dit-elle d'une voix entrecoupée. Mais tu ne crois pas qu'il y a à peu près les mêmes chez H & M ?

Ava la regarda sans comprendre.

– Qu'est-ce que tu viens de dire ?

– Essaie-la, essaie-la ! Elle est bien.

Ava haussa les épaules comme si elle ne l'avait pas entendue.

– Bon. Je reviens.

Et elle s'éloigna en direction des cabines d'essayage, laissant Carina seule avec Ilona, Cici et Kate, qui la dévisageaient fixement.

Pour se débarrasser d'elles, Carina se rapprocha d'une étagère de stilettos en python. Elle souleva une chaussure. Sous la semelle, l'étiquette indiquait neuf cent quatre-vingt-cinq dollars. Elle faillit éclater de rire. Comment pouvait-on claquer mille dollars dans une paire de pompes ?

– Bonjour ! Carina, c'est bien ça ?

C'était la vendeuse, qui lui faisait signe derrière sa caisse.

– On se demandait quand vous reviendriez ! Vous savez, je crois que j'ai toujours ce top Malandrino. En 36, non ?

Elle se dirigea vers les portants.

Carina jeta un regard inquiet aux Icks, qui se tenaient à quelques pas.

– Non, non, ça ne fait rien. Laissez tomber.

– Oh mais ça ne me dérange pas ! Et j'ai quelques autres pièces à vous faire essayer. Vous avez une grande occasion prévue ?

– Euh, non, pas spécialement, mentit Carina en évitant le regard inquisiteur d'Ilona.

– Attention les yeux, me voilà ! annonça Ava.

Et, repoussant le rideau de la cabine, elle en sortit dans la robe violette. Cici avait raison : c'était vraiment vulgaire. La fente lui remontait jusqu'en haut de la cuisse.

– Alors ? s'enquit Ava en pivotant pour s'admirer dans le miroir. Démente, non ?

– Elle te va très bien, dit Carina avec un enthousiasme feint. Achète-la.

La vendeuse les regarda l'une après l'autre.

– Vous êtes ensemble ?

Carina voulut secouer la tête, mais Ava la devança.

– Oui, on fait nos achats pour le gala du Flocon de neige. Je suis présidente. Et elle, c'est l'organisatrice.

– Formidable ! dit la vendeuse en s'adressant à Carina. Dans ce cas, j'ai quelque chose de *parfait* pour vous. Ne bougez pas !

Ava se tourna vers Carina avec un regard réprobateur.

– Elle te *connaît* ? demanda-t-elle pendant que la fille fouillait dans les portants.

– Pas vraiment, bredouilla Carina.

La vendeuse revint, les bras chargés de vêtements.

– Bon, voilà. J'ai pris quelques pièces qui viennent d'arriver. J'espère que ça ne vous dérange pas.

Et sous le regard impuissant de Carina, la vendeuse ouvrit d'un grand geste le rideau de la cabine d'essayage à côté d'Ava pour poser toutes les robes sur une petite chaise, à l'intérieur.

– Appelez-moi si ce n'est pas la bonne taille !

Carina se creusait la cervelle, cherchant une excuse pour ne pas essayer. Mais elle ne trouva rien.

– Euh, merci, dit-elle enfin en s'engouffrant dans le salon d'essayage.

Elle referma brutalement le rideau et resta sans bouger dans la cabine. Elle avait la même sensation que le jour où Roberta l'avait plantée au *Plaza* avec l'addition : le même sentiment de panique mêlée de honte.

256

– Comment ça va, là-dedans ? s'enquit la vendeuse de l'autre côté du rideau. On peut voir ?

Carina baissa les yeux sur les robes entassées. Il fallait qu'elle essaie quelque chose. Celle du dessus était en soie délicatement ombrée, dont la couleur passait d'un blanc laiteux au mauve puis au lavande pour arriver à un bordeaux intense. Carina souleva l'étiquette du bout du doigt. Mille quatre cents dollars.

– On peut voir quelque chose ? insista la vendeuse.

– Une minute ! cria Carina.

Elle se débarrassa de son uniforme du collège et enfila la robe. En remontant la fermeture, elle remarqua à peine que le vêtement lui allait parfaitement.

– Ça m'a l'air pas mal ! lança-t-elle.

Elle écarta le rideau de quelques centimètres seulement.

La vendeuse, elle, l'ouvrit en grand et eut le souffle coupé.

– Ça *tue*, souffla-t-elle en attirant Carina hors de la cabine.

Ava et les Icks se retournèrent. Elles la toisèrent des pieds à la tête. Malgré leur expression glaciale, Carina vit qu'elles étaient impressionnées.

Elle se regarda dans le miroir en pied. La robe était éblouissante. Dedans, elle ressemblait à une superbe actrice en route pour une première. Mais cela ne fit qu'augmenter sa panique.

– Tu devrais la prendre, parvint à articuler Ava.

– Tu crois ? Je ne trouve pas que ce soit vraiment moi.

– Vous *plaisantez* ? s'étrangla la vendeuse. Elle vous va comme un gant. Vous êtes renversante dedans. Elle existe aussi avec un haut débardeur, si vous voulez les deux.

257

– Non non, dit Carina en reculant pas à pas vers la cabine. Je ne crois pas que ce soit ce qu'il me faut pour le bal...

– Alors prends-la pour une autre occasion, lui conseilla Ava. Tu la porteras toujours.

– Je n'ai pas le coup de foudre.

– Et le prix est *tellement* raisonnable, ajouta la vendeuse. Je l'apporte à la caisse pendant que vous essayez les autres. Parce que vraiment, il vous la faut...

– Non ! cria Carina, si fort que même elle en fut surprise.

La vendeuse sursauta. Ava et les Icks tressaillirent.

– Je n'en ai pas besoin. J'ai déjà des tonnes de robes. Et vous trouvez vraiment ça raisonnable, mille quatre cents dollars ?

Silence de mort. Ava plissa le nez. Le regard mortel d'Ilona atteignit un nouveau degré de glaciation. Cici et Kate se couvrirent la bouche comme si elles allaient pouffer de rire.

– C'est du Chloé, dit la vendeuse d'une voix enrobée de désapprobation.

– Quel que soit le créateur, ce n'est pas dans mes prix, répondit Carina. Je ne vais pas dépenser des sommes pareilles. Même pour le bal de l'année.

Elle se retourna sur ses pieds nus, rentra dans la cabine d'essayage et referma le rideau. De ses mains tremblantes, elle baissa la fermeture Éclair. En se dégageant de la robe, elle eut l'impression qu'on lui soulevait un poids des épaules et qu'elle pouvait de nouveau respirer. Elle avait toujours su qu'elle se moquait de l'opinion de ces filles, mais elle n'avait jamais vraiment eu le courage de leur tenir tête. Eh bien, c'était chose faite. Elle n'en revenait pas. Elle avait dit la vérité.

Lorsqu'elle sortit, le tas de robes sous le bras, les Icks étaient encore collées ensemble, Ava était invisible, et la vendeuse, retournée derrière sa caisse, la lorgnait, les lèvres pincées.

– Tenez, lui dit Carina en posant les vêtements sur le comptoir. Et la prochaine fois, quand je vous dirai que je ne veux rien essayer, vous m'écouterez.

Un petit rire lui fit faire volte-face. Cici glissait quelque chose à l'oreille de Kate, qui ricana de nouveau, en se couvrant la bouche, puis lança à Carina un regard supérieur, comme pour dire : « Et alors ? » *Qu'elles pensent ce qu'elles veulent*, se dit Carina en soupirant mentalement. Qu'elles se moquent d'elle si ça leur chantait.

C'était plutôt Ilona qui lui faisait peur. Elle tâtait un portant de tuniques Stella McCartney en soie, mais elle ne regardait pas les vêtements : elle regardait Carina. Un demi-sourire retroussait ses lèvres boudeuses, et derrière ses yeux on imaginait de petits rouages tournant dans sa tête. Elle pensait à quelque chose – quelque chose qui serait, sans aucun doute, rapporté à Ava aussitôt que Carina serait sortie de la boutique.

Ava ressortit du salon d'essayage, cette fois dans une robe baby doll rose pâle. Elle ne parut pas voir Carina, qui se tenait pourtant juste devant elle.

– C'est joli, dit cette dernière, regrettant soudain un peu d'avoir gâché l'ambiance. Tu devrais la prendre.

Ava se redressa, posa ses mains sur ses hanches et finit par lui accorder un regard mi-furieux, mi-cinglant.

– N'oublie pas les pâtisseries, persifla-t-elle avant de rentrer dans la cabine.

Chapitre 25

Il fallait admettre que le glaçage n'était pas un art facile. Carina plongea sa spatule dans le pot de chocolat pour en étaler une nouvelle couche au sommet du petit gâteau jaune, en tâchant de le lisser au milieu et de faire des tourbillons autour. Mais elle n'avait pas le coup de main. Peut-être parce qu'elle était encore furieuse contre Ava. Après trois applications, le glaçage était encore irrégulier, trop fin à certains endroits, bien trop épais à d'autres, et formait des vagues anarchiques sur le pourtour. Les vendeuses de *Magnolia Bakery*, le spécialiste des *cupcakes*, auraient bien rigolé en voyant ça, pensa-t-elle. Mais peut-être, en s'entraînant bien, serait-elle au point pour le gala.

Naturellement, il lui faudrait encore mentir effrontément à Ava. Et après l'incident du jour chez Intermix, elle avait intérêt à assurer. Le pâtissier ne pouvait pas être *Sugarbabies* : il allait falloir inventer une nouvelle boutique de SoHo, pas encore ouverte, ou, encore mieux, une chaîne de Los Angeles qui fournissait les stars de Hollywood. Comment l'appeler ? *Glaçage & Co* ? *Tendres bouchées* ? Ensuite, elle devrait encore confectionner elle-même quelques centaines de *cupcakes*. Heureusement, il y avait une promo sur la préparation pour glaçage au supermarché cette semaine-là. Dès qu'elle maîtriserait la technique, elle achèterait un stock de poudre toute prête (et peut-être du colorant alimentaire pour les *cupcakes* rouges) et voilà, son job serait terminé ! Elle n'aurait plus qu'à ramasser son argent.

Son argent. Elle chassa une mèche de ses yeux avec le manche de sa spatule et fut reprise par cette sensation oppressante qui surgissait chaque fois qu'elle pensait à son salaire. Pourquoi continuait-elle ? Surtout à présent qu'elle connaissait Alex ?

Leur nuit magique au concert des Killers, trois jours plus tôt, repassait en boucle dans sa tête. Le lendemain, elle lui avait envoyé un texto pour le remercier, mais il n'avait pas répondu. On était à présent lundi soir et elle était toujours sans nouvelles de lui. Mais elle n'allait pas se prendre la tête là-dessus, se rappela-t-elle en bouchant un trou dans le glaçage de son gâteau. Il n'y avait aucune urgence, puisqu'elle dînait avec sa mère ce soir-là. Elle apporterait peut-être le plus réussi de ses *cupcakes*. Mimi lui avait annoncé par SMS, le matin même, qu'elle avait réservé chez *Nobu*, le fameux restaurant japonais, et Carina avait hâte de déguster des tempuras de crevettes avec elle.

La porte de la cuisine s'ouvrit en coup de vent. Ce n'était pas Nikita venant vérifier que Carina n'avait pas mis le feu à l'appartement. C'était le Jurg. Carina avait presque oublié qu'il rentrait de Londres ce jour-là.

– Carina, je peux te parler ?

Il était en tenue de sport, et un peu de sueur perlait encore sur son front lisse.

Elle reposa sa tentative de pâtisserie sur le comptoir.

– Bien sûr. Qu'est-ce qu'il y a ?

En temps normal, son père ne lui demandait jamais s'il pouvait lui parler. Il parlait sans demander. C'était donc intéressant, là.

Il sortit une bouteille d'eau du frigo et fronça les sourcils en regardant les *cupcakes*.

– D'abord... Qu'est-ce que tu fabriques ? demanda-t-il.

– Oh, je prépare une fête. Le gala du Flocon de neige. (Elle s'assit prudemment sur le comptoir.) C'est le dessert.

Une autre première, nota-t-elle. En général, le Jurg était tellement distrait qu'il ne remarquait rien autour de lui.

Il contempla les gâteaux d'un air morose.

– Tu comptes faire ça toi-même ?

– Eh bien, on voulait *Sugarbabies*, le fameux pâtissier du Lower East Side, mais c'est un peu cher. Donc, je me rabats sur la préparation en poudre. C'est presque aussi bon.

– Ça m'étonnerait, lâcha son père avec dédain. C'est quand, cette soirée ?

– La veille des vacances de Noël. Le 20. Ne t'en fais pas, c'est après l'arrêt des notes.

Le Jurg ne releva pas son ton à moitié ironique. Il se frotta le menton, songeur.

– J'ai parlé avec Barb Willis aujourd'hui, dit-il.

Carina se redressa sur le comptoir et agrippa la bordure de marbre. Elle avait presque réussi à oublier cette dispute gênante dans les bureaux de *Princesse*.

– Ah oui ?

– Nous avons décidé d'annuler l'article sur ta vie. Nous étions d'accord. J'ai pensé que ça te ferait plaisir.

263

– Ah, murmura-t-elle, bizarrement déçue.

– Ce n'est pas ta faute. Plus j'y pense, plus je comprends que tu avais raison. C'était une fausse bonne idée. Ils vont trouver quelqu'un d'autre, de plus indiqué.

Carina ne l'avait jamais vu exprimer de regrets. Et elle ne l'avait jamais entendu avouer qu'elle pouvait avoir raison.

– Barb m'a aussi rapporté ta critique du magazine.

Carina se cramponna encore plus fort au comptoir. Ça, elle l'avait carrément oublié.

– Ton avis l'a passionnée. En fait, elle va moderniser la section « tendances » en suivant tes suggestions. Et peut-être faire redessiner le logo, aussi. Moi non plus, je n'ai jamais été fan de ce logo. Je l'ai toujours trouvé trop rose. Mais qu'est-ce que je connais aux magazines pour jeunes filles ? En tout cas, elle voudrait que tu retournes là-bas pour rencontrer toute la rédaction. Et que tu sois leur chasseuse de tendances, si ça te dit.

– Tu parles sérieusement ?

– Tu sais, continua-t-il avec un très léger sourire, j'ai réfléchi. C'est ça que j'aurais dû te faire faire dès le départ. Les titres pour la jeunesse. Depuis tout ce temps, j'avais une experte sous mon toit, et je n'y avais pas pensé. (Il secoua la tête.) Est-ce que tu pourrais envisager de revenir travailler pour moi ? D'être ma consultante pour la presse ado ?

– Papa...

Il hocha la tête et leva une main.

– D'accord, d'accord. Je ne vais pas te forcer. J'en ai fini, Dieu sait à quel point. Mais je suis fier de toi, Carina. Vraiment.

Carina battit des paupières. Son père n'avait jamais été fier d'elle. Jamais.

– Je peux y réfléchir ? demanda-t-elle en rebouchant la boîte de glaçage.

– Absolument. Et il y a autre chose dont je veux parler avec toi. Ce que tu as dit l'autre jour, à propos de ta mère.

Elle descendit du comptoir. Du bout du doigt, elle commença à gratter des petits bouts de pâte cuite sur le pourtour du moule à gâteaux.

– On n'est pas obligés d'en parler, dit-elle.

– Si, je crois qu'il le faut. Je pense qu'il est temps que je mette deux ou trois choses au clair avec toi. Des choses que tu ne sais pas. Des choses que je voulais t'épargner jusqu'à ce que tu sois plus grande...

– Alors épargne-les-moi, éclata Carina en jetant le moule dans l'évier. On n'est vraiment pas obligés d'en parler.

Elle fit bruyamment couler l'eau.

– Très bien, dit son père en se levant. Comme tu voudras. Mais si tu ne veux pas vraiment savoir ce qui s'est passé, alors garde tes accusations pour toi.

Il lorgna une fois de plus les gâteaux peu appétissants alignés sur le comptoir.

– Si tu veux faire de la pâtisserie, ajouta-t-il, demande au moins à Nikita de t'aider.

– D'accord.

– Tu y vas, à ce bal, ou tu ne fais que l'organiser ?

Elle prit un papier absorbant et s'accroupit pour essuyer des gouttes de glaçage tombées au sol.

– Je ne sais pas, dit-elle d'un air détaché. Je ne suis pas sûre d'avoir envie d'y aller.

Le Jurg jeta sa bouteille d'eau vide dans la poubelle de recyclage en acier inox.

– Appelle Roberta. Si tu veux, je peux l'appeler tout de suite. Je suis sûr qu'elle se ferait un plaisir de t'aider...

– Papa, je me débrouille. Mais merci.

Il hocha la tête et regarda par terre.

– OK. Alors à plus tard.

Et il sortit de la cuisine.

Carina regarda battre la double porte derrière lui et l'écouta monter l'escalier. C'est alors qu'elle prit conscience que son père avait enfin essayé d'avoir une vraie conversation avec elle. Et elle ne l'avait pas laissé faire.

Lorsqu'elle fut remontée dans sa chambre, elle trouva un message vocal dans son téléphone. Sa mère.

« Coucou chérie, c'est moi ! Je me dépêche de faire des achats de dernière minute pour le voyage... Et, mon cœur, je suis absolument, absolument désolée, mais en fait je pars pour l'Inde ce soir. C'était plus simple comme ça. Mais promis, on se voit à mon retour. Je te préviendrai par SMS de l'ashram, d'ac ? Je t'aime ! »

Carina laissa retomber le téléphone sur son lit. À présent, elle se demandait bien ce que son père avait voulu lui dire.

Chapitre 26

– *Bonjour, mademoiselle Jurgensen,* dit en français Mme Dupuis en haussant à fond ses sourcils peints. Comme c'est gentil de vous joindre à nous.

Carina se dépêcha de traverser la classe, de retirer son bonnet et de s'installer à un bureau libre.

– Désolée, panne d'oreiller, marmonna-t-elle.

Les retards devenaient un grave problème depuis qu'elle venait au lycée en métro. Tout en déboutonnant son manteau, elle salua de la main Lizzie, Todd et Hudson de l'autre côté de la salle. Lizzie lui retourna son geste et désigna la chaise à côté d'elle, mais c'était trop loin. Au moins, elle ne semblait plus lui en vouloir pour sa scène de la veille, au restaurant. Dès la sonnerie, Carina irait la voir pour arrondir les angles. Dans l'immédiat, elle avait trois exos de géométrie à faire pour le prochain cours de maths.

En ouvrant son livre, elle éprouva une vague angoisse, et soudain elle se rappela son cauchemar.

Dans ce rêve, elle avait de nouveau dix ans et, accroupie devant la porte de la chambre de ses parents, elle les écoutait se disputer. Sa mère pleurait et suppliait son père. Il lui hurlait qu'elle avait perdu la tête. Et puis quelqu'un – ou quelque chose – commençait à griffer la porte.

Quelque part, Carina savait que c'était sa mère. Elle attrapait la poignée et tentait d'ouvrir, mais la porte ne bougeait pas. Elle s'efforçait encore d'ouvrir, mais pas moyen, et ses mains moites glissaient sans cesse, perdaient prise...

Elle s'était réveillée en larmes, les cheveux collés au front. *C'est juste un cauchemar*, s'était-elle répété, mais elle avait la gorge brûlante et elle savait qu'elle était en train de tomber malade. Le réveil indiquait sept heures cinquante-cinq et la radio babillait. Elle n'avait rien entendu. Elle avait bondi de son lit, s'était aspergé le visage d'eau froide et avait enfilé son uniforme à la hâte. Cinq minutes plus tard, elle était dehors et courait dans le froid vers le métro. Mais la terreur du cauchemar s'était attardée jusqu'à ce qu'elle soit montée à bord.

À présent, Mme Dupuis terminait l'appel et Carina s'attaqua à ses devoirs de la veille, en s'efforçant de chasser définitivement sa sensation de malaise. Mais là, derrière elle, elle entendit un rire familier. Les poils de ses bras se hérissèrent. Elle connaissait ce rire. Elle l'aurait reconnu n'importe où.

Lentement, elle se retourna. Cici et Kate étaient assises juste derrière elle. Sans la quitter des yeux, Kate chuchota quelque chose à l'oreille de Cici, qui pouffa de nouveau. À côté d'elles, Ilona fixait Carina du même regard et avec le même demi-sourire moqueur que la veille. Et de l'autre côté, près du tableau, se trouvait Ava, qui écrivait calmement avec son stylo Tiffany dans son carnet relié de cuir. Une seconde à peine, ses yeux se posèrent, glaçants, sur

Carina. Celle-ci se retourna vivement sur sa chaise. Sans même le remarquer, elle s'était installée en plein milieu de leur territoire. Et maintenant, elle allait devoir répondre de son éclat chez Intermix. Il était clair qu'Ava et les Icks ne lui avaient pas pardonné.

À la sonnerie, elle se leva et décocha un sourire radieux à Ava.

– Alors, tu as acheté la robe violette, finalement ? demanda-t-elle.

La jeune fille ferma son carnet en la regardant à peine.

– Oui. Merci de ton avis.

– Elle te va super bien, continua Carina en espérant qu'elle n'en faisait pas trop. La couleur est parfaite.

Ava eut un sourire crispé.

– C'est quand même mieux que H & M, tu ne crois pas ?

Carina marqua un silence.

– Oui...

– Bon... Où en es-tu avec les pâtisseries ? enchaîna Ava en passant son sac à mains sur son épaule. Tu es allée chez *Sugarbabies* ?

Carina ne s'attendait pas à ce qu'elle lui parle du gala.

– Ouiii... mais je me suis finalement décidée pour quelqu'un d'autre. *Sugarbabies* ne pensait pas pouvoir fournir pour deux cents personnes. Apparemment, ils sont débordés à cette période de l'année.

– Tiens tiens, c'est curieux, rétorqua Ava en faisant signe à ses acolytes de partir devant. Parce que j'ai appelé chez *Sugarbabies* à la première heure ce matin, et ils n'étaient absolument pas au courant. Ils m'ont dit qu'ils ne t'avaient jamais vue.

Carina suivit Ava jusqu'à la porte. Elle commençait à paniquer et triturait son bonnet entre ses mains. *Sois affirmative*, se dit-elle.

– Pourtant, je les ai bien appelés. Peut-être qu'ils ne s'en souvenaient pas parce que en fin de compte je n'ai pas passé commande.

Lizzie et Hudson lui lancèrent un regard qui signifiait : « Tu as besoin de nous ? », mais Carina leur fit signe de partir sans elle.

– Comme c'est bizarre. Tu es sûre ? Le responsable m'a assuré qu'aucun employé n'avait reçu d'appel de ce genre. Il m'a dit qu'il se serait souvenu d'une demande concernant le gala du Flocon de neige. À moins que ce ne soit un gros menteur, bien sûr.

Elles arrivaient dans le couloir. Les yeux ronds d'Ava, rivés sur elle, lui transperçaient la peau.

– Eh bien, je ne sais pas bien quoi te dire. Ce qui est certain, c'est que je leur ai parlé. Mais je me suis...

– ... décidée pour quelqu'un d'autre, je sais. Et qui donc ? Elle inclina la tête et attendit.

Elle sait que je mens, comprit Carina. *Elle le sait parfaitement.*

– Il faut que je consulte mes notes.

– Tu ne te souviens pas ? demanda Ava presque en souriant. C'est étonnant. Où en as-tu entendu parler ?

Carina se mordit la lèvre. Elle avait l'impression d'être au tribunal.

– Le bouche-à-oreille.

– C'est ça. Comme ce restaurant dans le West Village. Celui qui n'est « pas connu du grand public », dit-elle, sarcastique, en mimant des guillemets de ses doigts en crochets. Au fait, j'ai vraiment besoin de leurs coordonnées. Juste pour m'assurer que le menu correspond à ce qu'on veut. À moins que tu aies oublié aussi le nom ? Ah, mais bien sûr ! (Elle battit des paupières.) C'est un restau sans nom ! Comme c'est pratique.

Carina se sentait comme coupée en tranches par son ton mordant.

– Euh, je te dirai ça. Je ne me rappelle pas, là.

– Et puis tu sais, ce DJ dont tu m'as parlé ? continua Ava en jouant avec son pendentif. Alex Suarez ? J'ai appelé au *Château Marmont*. Il est inconnu au bataillon.

Carina se sentit tomber en chute libre. Ce mensonge-là, elle l'avait complètement oublié.

– Hmm, bizarre. Il m'a pourtant dit qu'il avait bossé là-bas.

Le visage d'Ava devint dur comme la pierre.

– Mais oui, je vais te croire. Tu as tout inventé, c'est ça ?

– Bien sûr que non ! Tu es folle ?

– Alors dis-moi, au juste, ce que tu as fait pour ce gala. Rien du tout ?

– Mais si, évidemment, balbutia Carina. J'ai fait des tas de choses.

– Ah oui ? Quoi ? Je n'ai toujours pas un nom, pas un numéro de téléphone. Tout ce que j'ai vu, c'est deux ou trois mini bouchées, et Dieu sait d'où elles venaient. Tu veux savoir ce que je crois ? Je crois que tu n'as rien fait. Je crois que tu m'as menti sur toute la ligne.

Carina fut secouée par un bref accès de rage. Ava pouvait l'accuser de mentir, mais pas d'être restée les bras croisés.

– OK, j'ai un peu dévié par rapport au plan initial,

admit-elle. Parce que, vois-tu, j'ai un scoop : *personne* ne veut travailler gratuitement. Pas même pour le gala du Flocon de neige.

Ava plissa les paupières.

– Tu disais que tous ces gens étaient tes amis.

– Ce ne sont pas mes amis. Ce sont des gens que mon *père* a *embauchés*. Et ils ne travaillent pas à l'œil.

Ava croisa les bras.

– Pas même s'il le leur demande ?

– Il ne leur a rien demandé.

– Pourquoi ?

– Parce que je ne lui en ai pas parlé.

– Alors ça, c'est complètement idiot. Et pourquoi tu ne lui en as pas parlé ?

– Parce que je voulais me débrouiller seule.

Ava eut un rire dédaigneux.

– C'est la chose la plus débile que j'aie jamais entendue. Tu es la fille de Karl Jurgensen !

– Et alors ? Tu crois que ça veut dire que je nage dans les billets et que j'ai Matty Banks à ma botte ? Que je peux avoir Filippo Mucci comme traiteur rien qu'en claquant des doigts ? Que je peux demander à quelqu'un d'offrir cinq cents orchidées sous prétexte que c'est pour une bonne cause ? Je n'ai pas des millions de dollars, figure-toi. Je n'ai rien, OK ? *Rien !*

Ava recula d'un pas. Mais Carina ne pouvait plus s'arrêter.

– Tu veux voir mon téléphone ? Tiens, le voilà. (Elle le sortit de son sac et ouvrit le clapet.) Mon père m'a coupé les vivres et je n'ai plus un rond. Pas d'argent, pas d'influence, rien. Aucune aide. Pas même pour ton gala débile.

Les lèvres brillantes d'Ava s'entrouvrirent.

– Et pourtant, j'ai tout organisé. J'ai à manger, j'ai la déco, j'ai un DJ. Ça aurait quand même été une super soirée. Simplement, je n'ai pas pu avoir les gens que tu voulais. Je croyais que je pourrais, mais je m'étais trompée.

– Écoute, je n'ai pas besoin des détails tragiques de ta vie personnelle, dit Ava en levant une main pour l'arrêter. J'ai un gala dans deux semaines. Alors, elle vient d'où, la bouffe ?

Carina contemplait fixement une rangée de casiers derrière elle.

– *Joe l'Épicier*, dit-elle calmement.

Ava eut un haut-le-corps.

– Et le DJ ?

– C'est le mec du collège Stuyvesant.

Les narines d'Ava se dilatèrent.

– Et les fleurs ?

– Ça, c'était sa sœur. Une artiste remarquable qui...

– Et les pâtisseries ?

La voix d'Ava commençait à trembler dangereusement.

Carina se tut un instant avant de répondre.

– Je comptais *a priori* les faire moi-même, avoua-t-elle. Mais vraiment, la soirée aurait été géniale. Si tu pouvais me faire confiance...

– Te faire confiance ? Je n'ai pas embauché Carina Jurgensen pour qu'elle me roule dans la farine, OK ? Tu es complètement bidon. Et mytho.

Je ne t'ai pas menti. C'est toi qui supposais des tas de choses sur moi.

– Hein ? Non, Carina. C'est toi qui as voulu me faire

273

croire des choses. Le premier jour, au café, c'est toi qui t'es vantée d'être hyperdouée pour ça et qui m'as parlé de tes relations. Alors n'essaie pas de tout me mettre sur le dos. Tu t'es *toujours* servie de ton père. Pour attirer les garçons, pour être invitée partout... Je t'en prie. Tu ne peux pas avoir le beurre et l'argent du beurre. Tu ne peux pas laisser croire quelque chose aux gens, et leur en vouloir de tomber dans le panneau.

Derrière elle, quelqu'un claqua bruyamment la porte d'un casier. Puis le couloir fut complètement vide. Il fallait qu'elles aillent en cours, mais Carina était clouée sur place.

Ava agrippa la sangle de son sac.

– Tu es virée. Et je veux récupérer mes deux cents dollars dès que possible.

– Quoi ? balbutia Carina. Mais... Je ne les ai plus.

Ava la fusilla du regard.

– C'est pas mon problème.

Et avant que Carina ait pu ajouter quoi que ce soit, elle tourna au bout du couloir et disparut en faisant cliqueter les talons de ses bottines.

– Ava !

Au même moment, la haute silhouette osseuse de M. Barlow apparut à la porte de son bureau.

– Tu n'as pas cours, Carina ? demanda-t-il de sa voix grave d'ex-marine. À moins que tu sois venue en touriste aujourd'hui ?

Elle s'excusa et partit en courant vers son cours d'histoire.

Une fois dans la classe, elle trouva Lizzie et Hudson assises près de la porte. Elle prit la chaise vide à côté d'elles au moment où la sonnerie résonnait.

274

– Qu'est-ce qui s'est passé ? chuchota Hudson. On voulait aller vous voir, mais ça nous a paru un peu chaud.

Carina sortit son livre et son classeur tout en réfléchissant au meilleur moyen de présenter les choses. Elle en tremblait encore. Et elle n'avait toujours pas reparlé à Lizzie depuis leur minidispute de la veille.

– Il fallait que je lui dise la vérité. Que je n'ai pas pu avoir les gens qu'elle voulait.

– Et elle a pété les plombs, devina Lizzie.

– Bah, oui. Elle m'a virée.

Sur l'estrade, M. Weatherly écrivait au tableau en parlant des Sumériens, et le silence se fit.

Hudson posa une main sur le poignet de Carina.

– Est-ce que je dois toujours chanter ?

– Oui. Et il faut que je récupère les deux cents dollars. Vous savez, l'argent des remontées mécaniques.

– Comment tu vas faire ?

– Aucune idée.

Une migraine commençait à lui marteler les tempes, et elle se souvint qu'elle était partie de chez elle sans manger.

– En même temps, c'est totalement injuste. J'ai bossé comme une folle. J'ai fait plein de choses. Et la soirée aurait été inoubliable. Elle, elle dit que je lui ai *menti*. Vous vous rendez compte ?

– Ben, tu as un peu menti, dit Lizzie en se tournant vers le tableau.

– Pas du tout.

– Tu n'as pas été honnête avec elle. C'est pareil.

– Ne viens pas me parler d'honnêteté, grinça Carina entre ses dents.

275

– Si c'est de Todd que tu parles, je me suis excusée. Je n'ai pas fait exprès.

– Et alors ? Tu l'as fait quand même.

– Les filles, *du calme* ! intervint Hudson en agitant une main entre elles deux.

– Qu'est-ce qui te met tellement en colère ? demanda Lizzie. J'ai l'impression que tu as une dent contre lui depuis le début.

– Et moi, que tu ne m'as pas soutenue une seconde, répliqua Carina du tac-au-tac. J'ai l'impression d'être jugée en permanence. Est-ce que tu te rappelles, au moins, ce que j'ai fait pour toi quand tu as voulu être mannequin ? Je ne t'ai jamais jugée, moi. Jamais.

– Les filles, *arrêtez* ! insista Hudson.

M. Weatherly les regarda depuis le tableau.

– Mesdemoiselles ? L'une d'entre vous voudrait-elle venir au tableau expliquer la différence entre les périodes d'Obeïd et d'Ourouk ?

Toutes trois piquèrent du nez, muettes.

Carina se mit à prendre des notes, furieuse. Elle ne s'était pas disputée avec Lizzie ou Hudson depuis la sixième, et encore, c'était pour savoir laquelle elle accompagnerait au goûter mères-filles de Chadwick. Mais là, la désapprobation de Lizzie lui faisait voir rouge. Il devait bien y avoir quelqu'un qui ne la jugerait pas.

Aussitôt que le cours fut terminé, elle tapa un texto sur son téléphone.

Faut que je te voie. T libre cet aprèm ?

276

Alex répondit immédiatement.

Kim's Video. Seize heures. À tout'.

Elle referma vivement le clapet. Alex, lui l'aiderait à y voir plus clair. D'accord, elle devrait lui annoncer qu'il n'assurerait plus la sono, mais il comprendrait. Elle le savait.

Carina chercha ses amies des yeux dans le couloir. Elles étaient parties devant sans l'attendre. Elle n'avait pas le souvenir qu'elles aient déjà fait ça. Jamais elle ne s'était sentie aussi seule.

Elle se mit en marche. Il ne lui restait plus qu'à survivre jusqu'à quatre heures.

Chapitre 27

Lorsque Carina sortit du métro à la station Astor Place pour rejoindre l'East Village, la neige tombait dru. Les rares fois où elle était venue là, c'était à la fin de l'été et au début de l'automne, quand la puanteur des poubelles se mêlait à l'odeur d'encens des marchands des rues et les trottoirs étaient noirs de touristes et de promeneurs. À présent, l'endroit était calme, presque romantique. Les gens passaient d'un pas pressé devant les boutiques de tatoueurs et les cafés, caressés par la neige.

Lorsqu'elle atteignit Saint Marks Place, son estomac criait famine et elle avait les jambes molles, comme remplies de sable. C'était une des plus longues journées de sa vie. Après leur dispute chuchotée en cours d'histoire, Lizzie et elle ne s'étaient pas reparlé de toute la journée. Hudson avait fait de son mieux pour maintenir le lien et s'adresser aux deux, mais l'ambiance était tendue et gênée. Enfin, au déjeuner, Hudson et Lizzie étaient allées manger une pizza et Carina, terrifiée à l'idée de tomber sur Ava, s'était enfermée dans le placard à balais pour manger son sandwich au thon avec pour seule compagnie une collection de serpillières.

279

Mais maintenant, Alex allait lui remonter le moral. Elle savait que *Kim's Video* était le lieu le plus branché où trouver des films d'art et essai et des disques piratés, mais elle n'y avait jamais mis les pieds. En tournant dans la 1re Avenue, elle sentit les papillons se bousculer dans son estomac. Elle avait trop hâte de revoir Alex.

Poussant la porte, elle prit pied dans un magasin surchauffé, bourré à craquer de cassettes vidéo et de DVD.

– Désolé, fit une voix, nous n'avons aucun film avec Matthew McConaughey.

Elle se retourna et trouva Alex accoudé au comptoir couvert de graffitis. Il avait des écouteurs sur les oreilles et un album de BD à la main.

– Salut ! fit-elle en s'approchant à grands pas. Super boutique. Tu ne crois pas que tu pourrais ranger un peu ? ajouta-t-elle en embrassant du regard les millions de films.

– Penses-tu, on a un système de rangement secret. Tu me dis ce que tu veux, et je le cherche pendant des heures. En fait, je t'ai déjà trouvé quelque chose. Un de mes films préférés.

Il fit le tour du comptoir, chaussé de ses Stan Smith, et lui tendit un boîtier.

– Tu es donc obligée de l'aimer.

– Qu'est-ce que c'est ? demanda-t-elle en regardant le lettrage chinois.

– *In the Mood for Love*. De Wong Kar-wai. Un génie.

– C'est en anglais ?

– En cantonais. Sous-titré en anglais, précisa-t-il en le lui mettant dans les mains. C'est magnifique. Ça me fait penser à toi.

280

Le souvenir de ses lèvres sur les siennes lui revint comme une vague.

– Merci. C'est bon de te voir.

– Pareil.

Il retourna se placer derrière le comptoir et se pencha vers elle, appuyé sur ses coudes.

– Au fait, j'ai trouvé un remix de MasterKraft incroyable l'autre jour. Je le passerai au bal. Écoute-moi ça.

Il leva la main vers la platine installée sur une étagère au-dessus de lui.

Elle se crispa légèrement lorsqu'il mit le vinyle en place et déposa l'aiguille dans le sillon. Un rythme techno irrésistible envahit le magasin.

– C'est pas génial ? cria-t-il pour se faire entendre. Je crois que je vais commencer par ça, direct.

– Alex ?

Elle ne savait toujours pas comment lui annoncer la nouvelle, mais elle savait qu'il ne fallait plus attendre.

– Il faut que je te dise quelque chose.

Il baissa un tout petit peu le volume sans cesser de hocher la tête en cadence.

– Oui ? Quoi ? Tu ne trouves pas ça super ?

Elle déglutit, une boule dans la gorge, et se rapprocha du comptoir.

– Tu n'es plus engagé.

Il pivota vers elle.

– Quoi ? Le bal est annulé ?

– Non. Je me suis disputée avec la fille aujourd'hui. Celle qui me fait travailler. Celle qui voulait que je lui trouve toutes sortes de stars.

Alex baissa plus nettement le volume.

– Disputée à propos de quoi ? demanda-t-il d'un ton sérieux.

– Eh bien tu vois, je ne lui avais pas dit que j'allais procéder un peu différemment. Et quand je lui ai raconté où j'en étais, elle s'est légèrement mise en colère.

Alex secoua la tête.

– Elle pensait toujours que ce serait Matty Banks qui mixerait ?

– Non, elle savait que c'était toi, mais... (Carina se demanda s'il y avait de la place sous le comptoir. Elle s'y serait bien cachée.) Je lui ai raconté que tu avais plus de vingt ans et que tu avais assuré l'anniversaire des jumelles Olsen.

Alex cilla.

– Hein ?

– Je savais qu'elle ne voudrait pas de quelqu'un de ton âge qui allait à Stuyvesant, alors j'ai dû improviser un peu. Je ne pensais pas que ça ferait toute un histoire.

Il resta parfaitement immobile.

– Et qu'est-ce que tu lui as caché d'autre ?

– Que la bouffe venait de chez *Joe l'Épicier*. Et que ta sœur assurait la déco. Et que j'allais faire moi-même trois cents *cupcakes* avec du mélange tout prêt acheté au supermarché. (Elle baissa les yeux, le visage en feu.) Mais elle m'est tombée dessus. Elle m'a dit qu'elle ne m'aurait jamais embauchée si elle avait su que je la jouerais cheap. Elle m'a traitée de mytho. Et puis elle m'a virée.

Alex s'adossa au mur, le regard sombre.

– Alors je fais partie de ce qu'elle appelle « la jouer cheap » ?

– Non, ça ne s'est pas passé comme ça. Et puis ce n'est qu'une snobinarde.

– Que tu tiens toujours à impressionner, fit remarquer Alex. Tu n'aurais pas pu simplement lui dire la vérité dès le début ?

Frustrée, Carina donna un petit coup de pied dans le comptoir. *Non. Parce que je ne pouvais pas lui dire que je n'étais pas celle qu'elle croyait*, avait-elle envie de dire.

– Je t'ai expliqué ma situation. Cette fille s'imaginait des choses sur moi, à cause de mon père. Et elle s'attendait à ce que j'assure. J'ai été *obligée* de mentir.

– C'est ça. Pas à moi, Carina.

– Tu ne sais pas comment ça se passe dans mon collège. Ni comment sont les gens, là-bas. Ce qu'ils *pensent*. Ce qu'ils pensent de *moi*. Tu crois que je peux leur dire que j'ai à peine de quoi prendre un taxi en ce moment ?

Alex, une nouvelle fois, secoua la tête.

– J'ai surtout l'impression que tu avais peur qu'elle ne t'aime pas.

Carina tournait et retournait le DVD entre ses mains.

– Non, c'est un peu plus compliqué que ça. Elle me payait.

– Tu étais payée pour ça ? s'exclama Alex. Pendant que nous, on était censés bosser à l'œil ?

– Alex.

Quelle gourde ! Évidemment, elle n'aurait jamais dû lui dire qu'elle était payée ! Maintenant, elle passait pour une lâche et une hypocrite.

– OK, j'arrête de te plaindre, pour de bon. Je suppose que ma sœur ne peut plus aller au bal non plus, pas vrai ? Tu comptais vraiment lui donner une entrée, au moins ? Ou tu voulais juste être sûre qu'elle te prêterait ses sculptures ?

Carina se rendit compte qu'elle avait complètement oublié Marisol.

– Alex, je vous revaudrai ça, à tous les deux, promis...

– Est-ce que tu te rends compte qu'elle se faisait une joie d'aller à ce foutu bal ? Elle s'est déjà cousu trois tenues. Et maintenant, comment je fais pour lui annoncer qu'il n'a jamais été question qu'elle y aille ?

– Alex, je t'en prie... Ne sois pas si fâché contre moi, OK ?

– Et pourquoi ? Tu me plaisais vraiment.

– C'est vrai ? Mais je n'ai eu aucune nouvelle de toi depuis le concert des Killers. Ça fait presque cinq jours. Alors ?

C'était maintenant Alex qui tripotait son iPod pour fuir son regard.

– Chaque fois que je repensais à cette soirée, je me rappelais qui était ton père, dit-il doucement. Et je ne serai jamais, jamais, le genre de garçon avec qui il veut te voir. (Il regarda au loin, en ouvrant et fermant son poing.) Et puis, j'ai compris que c'était moi qui avais un problème. Que tout cela n'aurait pas dû compter pour moi. Parce que ça ne comptait pas pour toi. (Il reposa les yeux sur elle. Des yeux pleins de peine et de déception.) Sauf qu'apparemment je me trompais.

– Alex.

Elle avança vers lui, mais il recula derrière le comptoir.

– Alex, s'il te plaît. Tu es le type le plus sympa et le plus intéressant que j'aie jamais rencontré. Je ne peux pas supporter que tu m'en veuilles.

284

Il se contenta de regarder la porte. Derrière la vitre sale, la neige tombait en couche épaisse dans la rue.

– Je crois que tu ferais mieux de partir, dit-il d'une voix calme.

Il baissa les yeux sur sa bande dessinée et feuilleta les pages. À l'évidence, il ne voulait même plus la regarder. Elle chercha quelque chose à dire ou à faire. Mais vu sa manière de se replonger dans l'album, elle sut que le moment était passé.

Elle reposa le DVD sur le comptoir.

– Tu peux le garder, marmonna-t-elle avant de sortir.

Chapitre 28

Elle remonta à pied vers le nord, sous la neige qui mouillait ses cils et le bout de ses oreilles, et fondait instantanément sur ses joues. C'était la première grosse chute de neige de l'année, et déjà une épaisse couche blanche couvrait les trottoirs, le sommet des boîtes aux lettres et les flèches pointues de Grace Church. En temps normal, elle adorait les premières neiges, ce moment où la circulation ralentissait et où les sirènes étaient assourdies, et où l'on avait l'impression que le son était coupé dans toute la ville. Mais ce soir-là, elle ne le remarquait même pas. Piétinant seule dans Broadway, elle entendait encore la voix peinée et fâchée d'Alex résonner dans sa tête comme une alarme de voiture.

En une journée, elle avait tout perdu. Son boulot. Son amoureux. Sa réputation. L'argent. Et peut-être même Lizzie.

Lizzie. Elle s'arrêta à un coin de rue, où la neige remplissait peu à peu une poubelle métallique. Seule Lizzie pouvait encore la ramener à elle-même. Seule Lizzie pouvait lui assurer que sa vie n'était pas complètement fichue. Il fallait qu'elle lui parle. Immédiatement.

Elle l'appela. Le téléphone lui gelait l'oreille. *Décroche,* songea-t-elle. *Pitié, décroche.*

Deux, trois, quatre sonneries. La messagerie se déclencha. Carina raccrocha. En général, quand elle ne pouvait pas répondre, Lizzie renvoyait directement ses appels sur la boîte vocale. Le fait qu'elle ait laissé sonner quatre fois indiquait qu'elle ne voulait pas lui parler. Qu'elle filtrait. Carina ne s'était jamais sentie aussi seule, de toute sa vie.

Elle prit le métro, et lorsqu'elle en descendit à la 59ᵉ Rue, elle était trempée et gelée. Elle dépassa sur le quai quelques personnes qui venaient de faire leur shopping de Noël et gravit les marches en courant. Elle avait hâte de prendre un bain brûlant, se mettre au lit et oublier cette journée.

Mais en entrant chez elle, elle vit immédiatement un portemanteau dans le couloir et des serveurs entrant et sortant de la cuisine avec des verres sur des plateaux, ainsi que plusieurs vigiles supplémentaires avec Otto à son bureau, qui surveillaient les petits écrans vidéo d'un air inexpressif. *De mieux en mieux,* pensa-t-elle. C'était le cocktail que son père donnait tous les ans pour les fêtes de fin d'année.

Les cocktails de fin d'année de son père n'étaient pas sa tasse de thé. On y retrouvait toujours les trois mêmes groupes, les trois M : la Monnaie (des hommes en costume trois pièces bleu marine), les Mannequins (des femmes minces comme des allumettes avec une tête d'alien et une longue queue-de-cheval soigneusement lissée) et les Médias (hommes et femmes d'aspect plus ordinaire, bien habillés mais mal coiffés, qui reluquaient avec envie la Monnaie et les Mannequins). Elle avait déjà assisté à cela bien des fois, souvent en compagnie de Lizzie ou de Hudson, mais ce soir, c'était bien la dernière chose dont elle avait envie. Elle avait presque atteint l'escalier lorsqu'elle entendit une femme hurler d'un rire exagéré. Elle regarda ce qui se passait : son père trônait au milieu d'un petit attroupement. Il se tut en la voyant.

– Carina ? Tu vas bien ?

Il s'approcha d'elle, s'arrêta net et observa son air hagard.

– Tu es trempée.

– Je me suis fait surprendre par la neige.

– Viens avec moi, dit-il sévèrement. Il faut te sécher.

Il posa les mains sur ses épaules et la pilota ainsi jusqu'à la cuisine.

– Papa, on n'est pas dans *Urgences*, quand même. Tout va bien.

– On dirait une pauvre orpheline sortie d'un roman de Dickens, marmonna-t-il. Viens là.

La femme au rire perçant, qui avait de petits yeux et les cheveux courts et blonds, l'attira sur le côté.

– Karl, dit-elle, à propos du papier dans *Vanity Fair*, je pense que le mieux est d'en parler directement à Graydon...

– Une minute, Elise, grogna-t-il sans s'arrêter.

Carina prit mentalement des notes. Elle ne l'avait jamais vu envoyer un invité sur les roses de cette manière. Surtout pour elle.

Lorsqu'ils entrèrent dans la cuisine, les extras vêtus de blanc évoluaient gracieusement dans la pièce pour regarnir leurs plateaux.

– Marco ? tonna le Jurg. On peut avoir des serviettes et un bouillon de poule bien chaud ?

Il l'aida à retirer son manteau et ses gants, puis lui sécha les cheveux avec une poignée de serviettes en papier.

– Tiens, assieds-toi. Marco ? Ça vient, ce bouillon ? On attend !

Marco arriva en courant, un bol de bouillon aux vermicelles fumant et une pile de serviettes sèches entre les mains. Où avait-il trouvé tout cela si vite ? Carina n'en avait aucune idée.

– Est-ce qu'il t'est arrivé quelque chose aujourd'hui ? demanda-t-il en frottant de nouveau ses cheveux avec une serviette, pendant qu'elle se mouchait.

– Non, tout va bien, répéta-t-elle en prenant sa cuiller.

Elle éternua bruyamment.

– Il s'est passé quelque chose au collège ? Tu t'es disputée avec quelqu'un ?

– Non. (Nouvel éternuement.) Enfin... si. Plus ou moins.

– Que s'est-il passé ?

Il posa une main sur la sienne.

Soudain, Carina sentit les larmes lui monter aux yeux. C'était la première fois de la journée que quelqu'un la traitait avec gentillesse. Et le fait que cela vienne de la dernière personne dont elle aurait attendu cela la bouleversait.

– Carina ? demanda-t-il avec encore plus de douceur. Que t'est-il arrivé aujourd'hui ?

Sa gorge la brûlait et le bout de son nez la chatouillait. Mais elle refusait de pleurer devant lui. L'habitude, sans doute.

– J'ai été virée.

– Virée ? De quoi ?

– Tu te rappelles, quand je t'ai dit que j'organisais un gala ? Le bal du Flocon de neige ?

Son père fit oui de la tête.

– Bon, je me suis disputée avec la responsable. Ava Elting. Et elle m'a virée.

– Pourquoi ? Sous quel prétexte ?

– Publicité mensongère, je pense.

Son père lui lâcha la main et tourna sa chaise face à elle.

– Bon, raconte-moi tout depuis le début.

Carina s'essuya le nez du dos de la main.

– Tout a commencé à cause d'un garçon, démarra-t-elle avec une grimace.

Elle n'avait jamais parlé de sa vie amoureuse avec son père. Mais il n'y avait plus moyen de reculer.

– Il s'appelle Carter McLean. Il m'a invitée en vacances dans les Alpes avec ses amis, pour faire du snowboard.

– Dans les *Alpes* ?

– Oui, son oncle a un chalet là-bas. Et j'ai dit que j'irais.

– Ah oui, tu as dit ça ? reprit son père d'un ton moqueur.

– Bref, c'était gratuit à part l'avion, les remontées mécaniques et les repas, continua-t-elle. J'ai calculé qu'il y en avait pour environ mille dollars. (Elle posa ses mains sur ses genoux et inspira à fond.) Que je n'avais pas, évidemment.

– En effet, dit-il plus sérieusement.

– Donc, j'ai décidé de chercher du boulot, mais je n'en ai pas trouvé, et puis cette fille, Ava, m'a dit qu'elle avait besoin d'une organisatrice de soirées, quelqu'un qui se chargerait de tous les détails pour ce bal du Flocon de neige qui est hyperchic, hyperimportant et tout et tout. Alors j'ai dit que je le ferais. Et elle était à fond pour.

– Pourquoi toi, alors que tu n'as aucune expérience dans ce domaine ?

Carina soupira.

– Parce que... Parce que je suis ta fille. Elle s'imaginait que je pourrais avoir Matty Banks, Filippo Mucci et les plus grands fleuristes. Et moi, je ne l'ai pas détrompée. Mais elle voulait que je les fasse travailler gratuitement. Comme une *faveur*. Sauf que personne n'a voulu me faire de faveurs. Tout le monde veut être payé.

Son père eut un sourire compréhensif.

– Oui, bien sûr.

– Alors, il a bien fallu que j'improvise. (Elle déglutit.) J'ai trouvé un DJ fantastique, mais il a mon âge et il débute tout juste. Sa sœur devait assurer la décoration des tables. Et j'ai trouvé des petits fours délicieux chez *Joe l'Épicier*, qu'elle a adorés, d'ailleurs. Et enfin, je comptais faire les *cupcakes* moi-même. Tout cela pour pratiquement pas un rond.

– Mais ce n'est pas ce que tu as dit à la fille.

– Non. Impossible. Elle n'aurait pas marché. Pas du tout. Elle veut qu'on parle de cette soirée dans le *New York Times*.

Son père fronça légèrement les sourcils.

– Et donc, elle a découvert le pot aux roses ?

– Ben oui. Et elle m'a virée.

– Mais que veux-tu dire, « virée » ? Ce n'était pas vraiment un travail.

Carina baissa la tête et tritura son mouchoir.

– Elle devait me payer mille dollars.

– Mille dollars ? répéta le Jurg, incrédule.

– Pour pouvoir partir au ski. Papa, j'ai fait le boulot. J'ai organisé la fête. J'ai fait tout ce qu'elle m'avait demandé. Simplement, je n'ai pas voulu lui avouer que je « la jouais cheap », comme elle dit.

– Tout d'abord, tu n'as rien fait de cheap. Mais pourquoi ne pas lui avoir simplement dit la vérité ?

292

Carina déchiquetait la serviette en papier entre ses doigts.

– Parce que si je lui avais avoué que je ne pouvais pas avoir tous ces gens, elle aurait attendu que tu le fasses pour moi. Et je ne voulais pas en arriver là. Surtout en ce moment, avec... ce qui se passe, tu vois. C'était plus facile de faire simplement semblant d'en être capable. Les gens attendent de moi une certaine attitude. Ils se font une certaine idée de moi. Tu le sais. C'est pour ça que tu as voulu que je réponde à cette interview, tu te souviens ?

Le Jurg regardait ailleurs en se frottant le menton.

– Je ne peux pas dire à cette fille que je me trimballe avec un téléphone vieux de dix ans. Enfin bon, j'ai fini par le faire, d'ailleurs. Mais ça m'est égal. Vraiment. J'ai changé. Je suis devenue quelqu'un d'autre. Simplement, je n'étais pas encore prête à l'être devant tout le monde.

Elle renifla une dernière fois et chipota dans son bol de soupe aux vermicelles.

– Parfois, conclut-elle, la manière dont les autres vous voient, c'est la manière dont on se voit.

Son père gardait le silence à côté d'elle. Elle croyait sentir sa déception se renforcer à chaque seconde.

– Je suis fier de toi, dit-il enfin. C'est vrai que tu as changé. (Il lui pressa l'épaule.) Et maintenant, essayons d'arranger un peu les choses. (Il sortit son BlackBerry Pearl de sa poche.) Qui voulait-elle, déjà ? Matty et qui d'autre ?

– Papa, laisse tomber. De toute manière, c'est trop tard.

Il porta l'appareil à son oreille.

– Je suis sûr que Matty se fera un plaisir d'animer la soirée. C'est quel jour, déjà ?

293

Carina tira sur sa main.

– Papa, *arrête*.

Lentement, il baissa le téléphone et raccrocha.

– C'est fini, expliqua-t-elle. C'est moi qui ai tout raté. Et maintenant, c'est moi qui dois assumer.

– Carina, je ne fais qu'essayer de t'aider.

– Tu ne peux pas. C'est mon problème, pas le tien. Et même toi, tu ne peux pas voler à mon secours à chaque fois.

Elle repoussa sa chaise et se leva. Elle était épuisée. Il fallait vraiment qu'elle aille s'allonger, la tête lui tournait un peu.

– Et avec le garçon, que s'est-il passé, finalement ? demanda le Jurg.

– Quel garçon ?

– Ce Carter je ne sais quoi.

– Oh ! Rien. C'est complètement fini. Et à l'avenir... on peut faire comme si je ne t'avais jamais parlé de lui ? Ni d'aucun garçon ?

Il acquiesça.

– Ça me va. Et maintenant, va te reposer.

Il se leva, et pendant un instant elle crut qu'il allait la serrer dans ses bras, mais il se contenta de la raccompagner jusqu'à la porte de la cuisine.

Une fois dans sa chambre, elle s'écroula sur son lit et enfonça son visage dans l'oreiller. Elle avait une migraine lancinante, le front chaud. Elle sentait qu'elle tombait malade. Vraiment malade. Mais tout en dérivant vers le sommeil, elle sut, tout au fond d'elle-même, que, dorénavant, elle était tirée d'affaire.

Chapitre 29

Drrrrrring !

Aussitôt que la sonnerie retentit, Carina posa son stylo et repoussa sa copie. Le contrôle final d'histoire avait été plus facile qu'elle ne le craignait, mais elle était tout de même soulagée que les examens de fin de trimestre soient terminés. Il ne lui restait plus qu'une journée de cours avant les vacances de Noël. Elle avait hâte d'y être. Depuis le jour de la neige, elle s'était sentie coincée dans un cauchemar. Deux semaines de vacances en isolement total étaient exactement ce qu'il lui fallait.

La migraine et la fièvre qui étaient apparues le soir de la fête de son père s'étaient transformées en véritable grippe dès le lendemain matin, et elle avait passé cinq jours au lit, faible et malheureuse, à regarder la télé. Dans une rare démonstration d'inquiétude parentale, son père était venu s'asseoir à côté de son lit, et lui avait même pris la température deux ou trois fois. Hudson était venue la voir presque tous les jours, en lui apportant ses barres chocolatées préférées et même des *cupcakes* à la vanille glacés au chocolat de *Magnolia Bakery*. Heureusement, elle semblait lui avoir pardonné de l'avoir mise au pied du mur avec Ava.

Mais Lizzie avait gardé ses distances. Elle ne lui avait envoyé que des textos et des e-mails. Leur dispute du dernier jour de cours avait laissé des traces, et Carina savait qu'elle devrait aplanir la situation entre elles le plus tôt possible.

Et bien sûr, aucune nouvelle d'Alex. Elle avait fini par craquer et l'appeler – deux fois –, mais ses messages étaient restés sans réponse. C'était clair qu'il la haïssait.

Et il n'était pas le seul. À son retour en classe pour le début des examens, les Icks avaient été les premières personnes qu'elle avait croisées, méchamment groupées sous le panneau d'affichage du hall du collège. Les ondes de haine qu'elles envoyaient dans sa direction auraient pu terrasser un buffle. Tous les matins, avant les contrôles, Ava, glaciale, l'ignorait complètement et lui tournait ostensiblement le dos. Carina se demandait où en était l'organisation du gala, mais elle n'osait pas poser la question. Elle ne savait toujours pas comment la rembourser et songeait que le mieux était de se tenir à carreau. Mais quelque chose lui disait que la soirée était mal partie. Ava était absolument incapable d'accomplir quoi que ce soit de pratique. Carina ne pouvait pas imaginer qu'elle ait réussi à tout mettre sur pied en si peu de temps. Mais d'un autre côté, qu'est-ce que ça pouvait lui faire ? Ava était idiote et snob. Une fête totalement ratée, c'était peut-être exactement ce qu'elle méritait.

Carina se leva, s'étira et déposa sa copie sur le bureau de M. Weatherly avant de suivre les autres dans le couloir. Carter McLean passa juste devant elle, sans croiser son regard, pour la troisième fois de la semaine. Elle n'aurait pu en jurer, mais elle supposait qu'Ava avait largement diffusé les « détails pathétiques » de sa vie personnelle dans tout le collège. Elle s'en fichait complètement. Si les gens voulaient la traiter en paria, c'était leur problème.

Plus loin dans le couloir, elle vit Lizzie et Hudson marcher en compagnie de Todd. Elle éprouva une bouffée de solitude. Comment leurs relations avaient-elles pu devenir si bizarres ? Toute la semaine, elle avait eu l'impression qu'elles étaient à deux contre une. Il fallait vraiment qu'elle trouve le courage d'aller voir Lizzie, de la prendre à part et de réparer les choses comme elle le pouvait. Elle était sur le point de les rejoindre lorsque Hudson regarda autour d'elle, lui fit signe et vint à sa rencontre.

– Je peux te parler ? lui demanda cette dernière, un peu essoufflée.

Même pendant cette semaine d'examens, Hudson était parvenue à garder toujours l'air calme et tranquille, mais aujourd'hui elle avait les yeux cernés et portait un jean troué avec un simple pull noir. Elle attira Carina contre le mur, à l'écart du flot des élèves.

– J'ai répété hier pour le bal, et c'est la grosse galère.

– Comment ça ?

– Ava a dû tout avouer aux gens de l'organisation de charité à la dernière minute, et ils ne savent absolument pas ce qu'ils font. Il n'y a pas à manger, pas de déco et le DJ est sans doute le plus nul de la terre. J'ai vu sa playlist qui traînait sur la scène. La première chanson est *Sweet Caroline*.

– Ouh ! fit Carina, légèrement triomphante tout de même.

– Alors. Il faut que tu fasses quelque chose. Que tu arranges le coup.

– Moi ? Je me suis fait *virer*, tu te souviens ? Et si les sbires d'Ava continuent à me regarder comme ça, je vais finir par succomber sous leurs ondes de haine.

Hudson l'attira plus près d'elle.

– Quand les gens verront l'ampleur du désastre, ils vont partir, et je ne veux pas faire ma première scène dans une salle vide, tu comprends ? Je suis déjà assez stressée comme ça.

À son regard affolé, à la couleur de ses joues, Carina sut qu'elle n'exagérait pas.

– J'aimerais bien, je te jure, mais Ava veut que je la rembourse et je ne peux pas. Et en plus, elle n'a rien aimé de ce que j'avais prévu. Pourquoi est-ce que ça lui plairait maintenant ?

– Récupère déjà le DJ, la pressa Hudson. Elle sera ravie de l'avoir, après celui qu'elle a déniché. Je te jure.

– Il ne veut plus me parler, dut admettre Carina.

Hudson croisa les bras et la regarda longuement, pensivement.

– Eh bien, c'est une excuse parfaite pour te rabibocher avec lui. Essaie, au moins. On a besoin de toi.

Carina réfléchit. Hudson avait peut-être raison. Elle avait certainement gâché toutes les chances de romance entre eux, mais elle ne pouvait pas supporter l'idée que quelqu'un d'aussi sympa qu'Alex Suarez la déteste autant. Au moins, si elle allait le voir aujourd'hui, si elle s'excusait

298

platement et le suppliait de mixer au bal, elle aurait fait tout son possible pour lui faire voir qu'elle n'était pas quelqu'un d'horrible. À supposer qu'il le voie.

– C. ? Tu es toujours là ? demanda Hudson en tirant nerveusement sur une de ses mèches brunes.

– Très bien, soupira-t-elle. Je vais essayer. Mais si ça se passe mal et qu'il me déteste et que je me prends la honte de ma vie, ce sera ta faute.

– Non, comme ça on sera quittes, vu que tu m'as forcée à monter sur scène. Allez, quoi ! Tu es Carina ! Il va sauter au plafond en te voyant passer la porte.

– Merci, H.

Elle embrassa son amie. Carina doutait qu'elle ait raison, mais c'était quand même agréable à entendre.

En arrivant à l'escalier, elles virent Ava, dans sa tenue d'examens (pantalon de cuir et manteau-pull en cachemire), qui bavardait avec Ken Clayman et Eli Blackman. Hudson donna une petite poussée à Carina.

– Va lui parler tout de suite, chuchota-t-elle. Vas-y. Tu seras débarrassée.

– Qu'est-ce que je dois dire, déjà ?

– Que tu peux tout arranger. Allez, C. Tu vas y arriver.

Carina n'était plus très sûre de ce qu'elle devait faire, mais l'ancienne Carina – celle qui ne résistait jamais à un défi – flamboya à nouveau. Rejetant ses cheveux en arrière, elle se dirigea d'un pas léger vers Ava et sa bande.

– Ava, je peux te parler une minute ?

Ava se retourna et l'examina avec un déplaisir extrême, comme si elle avait vu un cafard géant.

– Oui ?

– Je voulais te demander comment se passaient les préparatifs du gala.

Ava s'éloigna des deux garçons.

– Super, roucoula-t-elle en montrant ses dents éclatantes. Tout est prêt pour demain soir. Ce sera génial. (Elle se racla la gorge.) Absolument génial.

Carina eut la nette impression qu'elle essayait surtout de s'en convaincre.

– Tant mieux. Bon, je voulais vraiment m'excuser pour la manière dont ça s'est passé.

Ava la regarda fixement en jouant avec son pendentif.

– Moi aussi, lâcha-t-elle d'un ton revêche.

– Et je suis sûre que tu as déjà tout prévu, mais si tu veux que je fasse venir ce DJ demain soir, ce serait avec plaisir. Il a vraiment beaucoup de talent. Ce serait dommage que vous passiez à côté.

Ava garda le silence pendant un moment en triturant son « A » en diamants.

– Tu crois que tu pourrais le faire venir ? demanda-t-elle enfin.

– Je pense. Je sais que ça l'intéressait beaucoup.

Ava chassa une mèche égarée de son visage.

– Eh bien, on a déjà quelqu'un de super, dit-elle d'un ton hautain, mais ce serait intéressant de savoir s'il est toujours disponible. C'est toujours mieux d'avoir le choix.

Ah oui, elle est vraiment aux abois, songea Carina.

– Aucun problème. Et pour la déco, ça va ? Le buffet ?

Ava baissa la tête et avala sa salive.

– Ça va, marmonna-t-elle. Ils venaient d'où, déjà, tes petits fours ?

300

– Écoute, je te propose quelque chose. Que dirais-tu si je reprenais là où j'en étais et si je terminais le boulot ? Le buffet, la musique, la déco. J'ai vraiment envie que la soirée soit aussi super que prévu. Et bien sûr, je ne te demande pas un centime.

Ava posa ses mains sur ses hanches.

– Et les deux cents dollars que tu me dois toujours ?

Carina se mordit la lèvre.

– J'y travaille. Et je te promets de te les rendre. Mais pour l'instant, laisse-moi juste me remettre au boulot. Ça te va comme ça ?

Les mains toujours sur les hanches, Ava tapait impatiemment du pied.

– Très bien. Tu es réembauchée. Mais considère ça plutôt comme un stage non rémunéré.

Elle resserra la ceinture de son manteau-pull et se dirigea vers l'escaler.

– Et n'oublie pas les petits feuilletés. Ils étaient délicieux.

– Je n'oublierai pas.

Ava s'éloigna, et Carina aurait pu jurer l'entendre fredonner en descendant l'escalier.

Hudson réapparut à côté d'elle.

– J'ai tout vu, dit-elle. Ça s'est bien passé, on dirait.

– Tu avais raison. Apparemment, le bal était bien parti pour être une catastrophe.

– En tout cas, quoi que tu fasses, fais venir ce DJ, insista Hudson. Si je fais ma première scène dans une salle vide, ma mère va me tuer.

Chapitre 30

À dix-neuf heures trente, elle sortit du métro et se retrouva dans la même section lugubre d'East Broadway qu'un mois plus tôt. La rue semblait encore plus désolée ce soir-là : pas une décoration de Noël en vue, et un vent glacé qui soufflait en provenance de l'East River. Elle ne se rappelait plus comment trouver l'entrée du *Neshka*, mais en voyant la triste enseigne au néon du restaurant chinois, elle se souvint de la porte secrète. *Pitié, faites qu'il ait au moins un sourire en me voyant,* pria-t-elle en traversant la rue. *Ou au moins qu'il ne se mette pas en colère.*

Elle tira sur le lourd battant d'acier et entra dans la boîte. Contrairement à la dernière fois, les lieux étaient presque vides. L'entrée n'étant pas bloquée par une mer de jeunes branchés, il ne lui fallut que quelques secondes pour s'accoutumer à la pénombre à peine éclairée par les guirlandes lumineuses qui clignotaient en bleu et blanc. Elle vit alors Alex, aux platines, hochant la tête au rythme de l'écouteur qu'il tenait contre une de ses oreilles. *Ce n'est pas pour moi que je le fais, c'est pour la fête,* songea-t-elle en prenant sa respiration avant de foncer droit sur lui. Mais

303

quand même, elle avait une boule si énorme dans la gorge qu'elle craignait de ne pas pouvoir parler.

– Salut, dit-elle en s'arrêtant devant lui. Tu prends les demandes personnelles ?

Les grands yeux bruns du garçon s'illuminèrent un bref instant, puis redevinrent froids.

– Salut, répondit-il en reposant le casque. Qu'est-ce que tu fais là ?

– Je viens te dire bonjour en personne. Puisque visiblement, ça ne passe pas par téléphone.

Alex tripotait son matériel.

– J'étais très pris. Qu'est-ce que tu veux ?

Elle décida de ne pas tourner autour du pot.

– Ton aide. Le bal va être une vraie catastrophe. Ava a dit aux gens de l'organisation de s'en occuper eux-mêmes, et le DJ qu'ils ont trouvé pense que Neil Diamond, ça déchire. Ils ont besoin de toi. Désespérément. Tu peux encore le faire ?

Alex cilla.

– C'est demain soir, Carina. Le dernier jour avant les vacances. J'ai autre chose de prévu.

– Il veut passer *Sweet Caroline* pour démarrer. C'est grave.

– Et que veux-tu que ça me fasse ?

Il sortit de la caisse un album de Donna Summer.

– Écoute, je sais que tu m'en veux, dit-elle en passant derrière les platines. Et c'est normal. J'ai eu tort. J'ai fait n'importe quoi. Et en plus, j'ai été totalement lâche. Mais maintenant, tout le monde sait, au collège, que je ne suis pas celle qu'on croyait. Et je m'en tape complètement.

Alex leva les yeux vers elle.

– Ah bon ?

304

– Tu avais raison. C'était nul de ne pas être franche avec Ava. Elle porte des jeans en cuir, tu vois le genre ? Pourquoi devrais-je me soucier de son opinion ?

Alex lui lança un regard sceptique.

– Je suis désolée, archidésolée. Je ne voulais pas tout gâcher comme ça. Vraiment. Pour toi et pour Marisol. Tu es une des personnes les plus géniales que j'aie jamais rencontrées, Alex. Je te jure. Mais même si tu ne veux plus qu'on soit amis, je t'en supplie, aide-nous. Et si ta sœur pouvait nous prêter ses sculptures, ce serait encore mieux.

Alex posa le saphir sur le disque.

– Eh bé ! Tu n'y vas pas par quatre chemins, au moins.

Il reposa la couverture de l'album et regarda Carina droit dans les yeux.

– D'accord. Je vais le faire.

– C'est vrai ?

– Ouais. (Il passa d'un pied sur l'autre.) Est-ce que j'ai le choix ? Neil Diamond !

– Merci ! lança-t-elle en lui agrippant le bras. Merci, merci ! Tu es le meilleur ! Sincèrement.

Alex regarda sa main sur son bras. Elle le lâcha. Il fallait qu'elle fasse attention avec lui, désormais.

– Eh bien, les examens m'ont crevée, moi, dit-elle. (Elle sentait son estomac gargouiller.) Mais je t'enverrai les détails par mail, et on se verra demain soir. Et merci encore.

– De rien, dit-il d'un ton neutre.

Il y eut un silence pendant lequel il l'observa dans la pénombre, et eut l'air sur le point d'ajouter quelque chose. Mais finalement, il remit le casque sur ses oreilles.

– À demain soir, conclut-il.

En regagnant la porte, elle se sentit emplie d'un curieux mélange de fierté et de tristesse. Elle avait réussi. Tout était de nouveau sur les rails. Mais la gêne persistait entre Alex et elle. Comme s'il restait des choses à dire. Elle chassa cette impression en ouvrant la porte. Ils avaient eu leur chance de commencer quelque chose. Mais elle l'avait gâchée, et il faudrait bien qu'elle s'y fasse.

Chapitre 31

En rentrant chez elle, elle avait si faim qu'elle salua à peine Otto avant de foncer à la cuisine. En franchissant les portes battantes, elle était prête à dévorer tout le contenu du frigo. Mais là, elle vit une chose qui l'arrêta net.

Une collection des plus beaux *cupcakes* qu'elle ait jamais vus était disposée sur un présentoir. Des rouges apparemment divins, des au chocolat-glaçage vanille, des *carrot cakes*, et plus de parfums différents qu'elle n'aurait pu l'imaginer. Elle ignorait totalement d'où ils venaient, jusqu'au moment où elle remarqua une boîte rose à côté de la machine à expresso. SUGARBABIES, était-il écrit en lettres arrondies sur le dessus. Elle ouvrit alors le réfrigérateur. Toutes les étagères étaient couvertes de boîtes roses. Il devait y avoir trois cents *cupcakes* dans la cuisine.

La porte s'ouvrit sur Ed Bracken, affublé d'un costume croisé gris anthracite et d'un sourire étonnamment authentique.

Il lui dit bonjour, puis donna un coup de menton vers le réfrigérateur ouvert.

– Alors, qu'en penses-tu ?

– Qui... qui a commandé tout ça ?

– Ton père. Enfin, plus précisément, mon assistante. Mais ton père a dû le lui rappeler au moins cent fois.

Le souffle coupé, elle contempla de nouveau les boîtes roses.

– Il a dit que tu essayais d'en faire toi-même, et qu'il n'était pas question qu'il te laisse faire. (Ed lui sourit de nouveau, et décidément ce n'était pas un rictus.) Je viens de les apporter. Ton père t'aime beaucoup. Je sais que tu ne t'en rends pas forcément compte.

– Au moins, il le montre avec des gâteaux, dit Carina, un peu abasourdie, en laissant tomber son sac au sol. Parfois, je ne le comprends pas. Et vous, est-ce que vous le trouvez aussi déroutant que moi ?

Ed eut un petit rire.

– Parfois. Mais je le connais mieux que toi. Je sais des choses qui changeraient sans doute ta façon de le voir.

– Ah bon ? Quoi, par exemple ? Comment il dirige un conseil d'administration ?

L'homme passa la main dans ses rares cheveux.

– Non. D'autres choses. Comme ce qui s'est passé avec ta mère, dit prudemment Ed. Des choses qui permettent de le comprendre un peu mieux, pourrait-on dire.

Carina sentit ses poils se hérisser. Elle ne voulait pas parler de sa mère. Mais elle était curieuse. Et c'était énervant qu'Ed lui agite ce genre d'informations sous le nez.

– Quelles choses ?

– Eh bien déjà, le fait que c'est elle qui lui a brisé le cœur. Et qu'il ne s'en est jamais remis.

Carina faillit éclater de rire.

– Elle, lui briser le cœur ? Vous vous fichez de moi ?

L'homme la regarda de ses yeux bleus et humides.

– Ce n'est pas vrai, continua Carina. C'est lui qui l'a quittée.

– Parce qu'elle en aimait un autre, dit-il calmement. Elle a épousé ton père pour l'argent. Il a fini par s'en apercevoir. C'est pour cela que c'est terminé. (Il la regardait dans les yeux, comme pour la mettre au défi de répondre.) Voilà toute l'histoire.

– C'est un mensonge, s'anima Carina. C'est mon père qui l'a trompée. Je le sais. J'étais dans la maison. Je les ai entendus en parler. Elle en pleurait toutes les nuits. Vous n'étiez pas là, vous. Bien sûr qu'il a inventé une histoire pour se donner le beau rôle.

Ed, l'air sombre, secoua la tête.

– Non, il n'a jamais trompé Mimi. Pas une seule fois. Il l'aimait trop. Il ne voulait même pas mettre fin au mariage. Mais quand il a compris qu'elle ne renoncerait pas à l'autre homme, il a su qu'il fallait couper court. Il était trop fier pour continuer ainsi. C'est pour cela qu'il a tenu à t'élever. Il ne voulait pas que tu grandisses avec les valeurs de ta mère. Faire passer l'argent devant tout le reste. Il ne voulait pas que tu finisses par faire les mêmes choix qu'elle.

Carina luttait pour s'accrocher à ces paroles et les absorber, mais la tête lui tournait. Cela faisait trop de choses à croire. À accepter.

Mais peut-être, se dit-elle, y avait-il du vrai là-dedans. Pourquoi sa mère était-elle toujours injoignable ? Et quand elle répondait, pourquoi était-ce si difficile d'avoir une vraie conversation avec elle ? Mimi décrochait son téléphone,

mais ensuite il y avait toujours quelque chose pour l'empêcher de discuter. Et les rares fois où elle le faisait, elles ne
se parlaient pas vraiment. Carina n'avait même pas voulu
lui dire que son père lui avait coupé les vivres. Elle savait
que si elle l'avait fait, cela ne lui aurait rapporté que des
paroles bien intentionnées. C'était comme si sa mère avait
lâché Carina après le divorce, peu à peu, d'abord physique-
ment, puis mentalement. Peut-être que si elle ne s'était pas
sentie coupable, Mimi se serait battue un peu plus pour la
garder auprès d'elle.

Carina ramassa son sac de classe et se tourna vers la
porte.

– Je crois qu'il faut que je monte.

– Carina ? Ça va ? s'inquiéta Ed. Je n'aurais peut-être pas
dû te dire tout ça.

– Non, non ! Je suis juste... fatiguée. Au revoir, Ed, dit-elle
en hâte.

Elle se sentait perdue.

Dans sa chambre, elle se coucha en chien de fusil sur son
lit. L'intérieur de son crâne lui faisait l'effet d'un manège.
Elle ferma les yeux pour tenter d'apaiser son vertige,
d'écouter sa respiration. Mais en vain. Chaque fois qu'elle
tentait d'éclaircir ses pensées, elle revenait à cette nuit-là,
celle où elle s'était accroupie devant la porte fermée, à
écouter ses parents se disputer.

*Peut-être que si tu avais des sentiments, si tu pouvais être une
personne pendant quelques minutes, je n'aurais pas besoin de...*

Elle ferma les yeux plus fort. Pendant tout ce temps, elle
avait été dans l'erreur. Peut-être que sa mère n'avait pas
erré dans l'appartement, les yeux rouges, et pleuré dans sa

chambre à cause de la cruauté de son père, mais parce qu'elle en aimait un autre. Peut-être avait-elle sacrifié l'amour à la sécurité, puis l'avait-elle regretté. Peut-être était-ce sa faute si leur mariage avait pris fin. Et Carina qui ne se doutait de rien, depuis le début !

Elle resta longtemps à réfléchir sur son lit. Jusqu'au moment où on frappa à la porte.

– Carina ? Je peux entrer ?

Elle se redressa sur un coude.

– Oui ! lança-t-elle en s'efforçant d'avoir une voix normale.

En voyant son père sur le seuil, elle repensa brièvement à ce soir, sept semaines plus tôt, où elle avait mis le document en ligne, où il était apparu, furieux, à cette même porte, essoufflé, les yeux étincelants comme des braises sombres. À présent, son regard était doux, son visage lisse, et il vint s'agenouiller par terre à côté du lit.

– Ed m'a dit qu'il t'avait parlé, expliqua-t-il avec raideur. Je me suis dit qu'il valait mieux que je vienne discuter un peu de tout ça avec toi.

– Pourquoi est-ce que tu ne m'as rien dit ?

– J'ai essayé... Tant de fois ! L'autre jour encore, dans la cuisine... Mais tu ne voulais pas m'entendre. (Il soupira.) Et je n'ai jamais voulu ternir l'image de ta mère. Je sais que tu as encore des relations avec elle.

– Je regrette de n'avoir rien su, murmura Carina en baissant les yeux. Je suis désolée de m'être trompée sur toi.

– Ça ne fait rien, ma chérie. Tu ne savais pas. Tu ne pouvais pas savoir. Peu de gens sont au courant.

Carina tortillait la bordure de son oreiller bleu pâle.

– Tu voulais vraiment que je vive ici avec toi ? demanda-t-elle calmement. Ou tu refusais simplement de lui laisser la garde ?

– Bien sûr que je voulais de toi !

– Alors pourquoi est-ce que tu ne me regardes pas ?

Son père battit des paupières.

– Quoi ?

– Tu ne me regardes jamais. On dirait que tu oublies ma présence. Ou que tu ne veux même pas t'en souvenir.

Les yeux de son père se mouillèrent.

– Oh, ma chérie, dit-il d'une voix cassée. C'est juste que tu lui ressembles tellement... Tu es le portrait craché de ta mère. Parfois, c'est dur pour moi.

Ce fut la tendresse de sa voix qui ouvrit les vannes. Sans crier gare, Carina éclata en sanglots.

Elle s'appuya contre son père et pleura sur son épaule. On aurait dit que toutes les années passées à se retenir de pleurer s'étaient accumulées, et formaient à présent une vague de larmes que rien ne pouvait plus arrêter. Curieusement, elle n'était même pas si gênée que ça. Son père l'entoura de ses bras et elle s'abandonna contre son costume, le nez dans sa veste.

– Ça va aller ? lui demanda-t-il.

Elle s'essuya le nez du dos de la main et acquiesça.

– On va y arriver, C., lui dit-il en lui ébouriffant les cheveux. Je te le promets. Tout ira bien pour nous.

Il y avait encore du chagrin dans les yeux de son père, mais elle savait qu'il disait la vérité. Il allait surmonter la peine, et elle aussi.

Il la lâcha et se leva.

– Au fait, je voulais aussi te parler d'autre chose, ajouta-t-il en joignant le bout de ses doigts. Je pense que le temps est venu d'augmenter ton argent de poche.

Elle dressa l'oreille. Malgré sa récente crise de larmes, le sujet l'intéressait.

– Tu m'as juré que tu étais capable de gérer l'argent. Donc, mettons-nous d'accord sur un montant raisonnable. Mais je garde la carte American Express.

– D'accord.

– Et une dernière chose. Tu pourrais peut-être aller discuter avec les gens de *Princesse*. Dis-leur tout ce que tu penses de ce qu'ils font. Je crois que tu pourrais réellement les aider.

– Papa, elle est folle amoureuse de toi.

– Qui est amoureuse de moi ? demanda-t-il, légèrement inquiet.

– Barb Willis. Elle craque complètement pour toi. Ne lui brise pas trop le cœur, d'accord ?

Le Jurg piqua un fard. Carina était assez certaine de n'avoir pas vu ça depuis des années.

– Euh, non. C'est pour quelqu'un d'autre qu'elle craque. Pas pour moi. Pour Ed.

– *Ed ? !*

Il confirma.

– Ils ont commencé à se fréquenter il y a environ deux semaines. Je dois dire qu'il m'a étonné. Il a pris son courage à deux mains et l'a appelée. Il a quelque chose de changé, depuis quelque temps. Il a gagné beaucoup de... confiance en lui.

Carina se souvint subitement des lettres d'amour et dut se retenir de pouffer de rire.

– Sans doute que ça devait arriver un jour ou l'autre, commenta-t-elle.

– Tu as tort d'être aussi dure avec lui, tu sais. Il t'aime beaucoup.

– J'en prends bonne note. Et je vais appeler Barb. Mais à une condition.

– Oui ? Laquelle ?

– Que tu acceptes l'idée que je ne travaillerai peut-être jamais pour toi, dit Carina d'une voix posée. Et que je n'irai peut-être jamais à Wharton. Que je n'aurai peut-être même jamais un MBA.

Un petit sourire apparut sur le visage du Jurg.

– Tu te rends compte, j'espère, que tu as déjà tout ce qu'il faut pour faire une femme d'affaires implacable, lui fit-il remarquer.

– Papa.

– OK, marché conclu.

– Et merci pour les *cupcakes.* J'ai été réembauchée aujourd'hui, alors ils me rendent un fier service. C'est vraiment très sympa de ta part.

– De rien. Et si tu as besoin d'aide pour autre chose, n'hésite pas à me demander. Oh, j'oubliais ! (Il sortit une enveloppe de sa poche et la lui tendit.) Ouvre !

Retenant son souffle, Carina passa le doigt le long du pli et déchira l'enveloppe. Elle contenait deux billets pour le gala du Flocon de neige. À deux cents dollars. Déjà payés.

– Papa ! dit-elle, époustouflée. Tu n'étais pas obligé...

– Je sais. Mais tu les as bien gagnés. Sur tous ceux qui iront, c'est toi qui as travaillé le plus dur.

Elle déglutit une fois de plus.

– Merci. Seulement... je ne sais pas qui emmener.

Il lui agita son index sous le nez.

– Promets-moi simplement que ce ne sera pas ce Carter Machinchose.

Elle leva les yeux au ciel.

– Ah, non ! Lui, c'est du passé.

– Tant mieux.

Et, en souriant, il sortit de la chambre.

Carina resta sur son lit à contempler les billets pendant un long moment. Ce n'était qu'un bal, et il n'y avait aucun prince charmant à l'horizon, et pourtant elle se sentait dans la peau de Cendrillon. Et tout à coup, elle sut précisément qui elle allait inviter.

Peut-être, songea-t-elle, les *happy ends* existaient-ils dans la vraie vie. Ou, du moins, les nouveaux départs.

Chapitre 32

– Ici, c'est bien, dit Carina.

Max arrêta la voiture contre le trottoir.

– Attendez-moi là.

– Prenez votre temps, répondit le chauffeur en lui faisant un clin d'œil dans le rétroviseur.

– Merci, Max. Souhaitez-moi bonne chance.

Elle descendit de voiture en prenant soin d'éviter une plaque de verglas, perchée sur ses talons de dix centimètres. Le vent s'insinua sous son manteau, jusqu'à ses épaules dénudées, et le parfum de freesia qu'elle s'était vaporisé dans le cou s'éleva de son foulard. Rares avaient été les fois, dans sa vie, où elle avait été si habillée, et à présent, en passant devant la horde de paparazzis habituelle pour enter dans l'immeuble, elle se sentait observée. Cela n'avait pas d'importance qu'elle ait déjà porté sa robe à deux ou trois reprises, et que ses bijoux et son sac soient empruntés à Hudson. Elle savait qu'elle était jolie, et après ces semaines passées en pull et jean, la sensation était très agréable.

Dans le confortable hall d'entrée, un portier leva les yeux de son bureau.

– Elle descend, annonça-t-il.

– Très bien.

Elle s'assit sur le canapé, à côté d'un haut sapin de Noël. Elle tapait nerveusement du pied et grattait une petite croûte de rasage sur son genou. Sur toutes les personnes qu'elle avait déçues et éloignées d'elle ces derniers temps, Lizzie était la seule avec qui elle ne s'était pas encore réconciliée. Elle avait donc trouvé normal de lui demander de l'accompagner. Le trajet en voiture serait le temps le plus long passé ensemble depuis des semaines. Mais le fait qu'elle ait répondu si rapidement à son texto devait bien signifier que Lizzie ne lui en voulait plus, et c'était un soulagement. Aller à ce bal sans son amie à ses côtés aurait été comme ne pas y aller du tout. Et bien sûr, Hudson était déjà à l'hôtel *Pierre*, pour se préparer à entrer en scène.

Au bout du couloir, un ascenseur s'ouvrit, et Carina entendit les pas de Lizzie. Ainsi que ceux de quelqu'un d'autre.

– Salut, C. ! J'arrive !

Carina bondit du canapé et franchit l'angle du couloir. Lizzie était là, splendide dans une robe-bustier couleur de fumée, les cheveux relevés en chignon. Et à côté d'elle, un appareil photo à la main, à l'aise dans ses Converse, se trouvait Andrea Sidwell, la photographe qui l'avait « découverte ».

– Carina ! s'exclama-t-elle en agitant les bras. Quoi de neuf ?

Carina courut l'embrasser. Elle ne l'avait pas vue depuis la séance photo dans Central Park où Hudson et elle avaient tenu l'appareil chacune son tour, il y avait des semaines de cela. Elle sourit de la retrouver avec sa queue-de-cheval blonde et son sweat à capuche noir.

– J'ai pensé qu'Andrea pourrait prendre quelques photos

318

de nous, toutes sur notre trente et un, expliqua Lizzie. Vu que ça n'arrive pas tous les jours.

– Super idée.

Carina retira son manteau pour révéler sa minirobe vert émeraude.

– Bien, les filles, rapprochez-vous l'une de l'autre, leur indiqua Andrea. Et faites-moi un grand sourire.

Lizzie se pencha vers l'oreille de Carina.

– Je n'en reviens pas qu'on aille au bal d'Ava, dit-elle.

– Moi non plus, répondit Carina entre ses dents, et toutes deux éclatèrent de rire.

Andrea prit un cliché.

– C'était parfait, les filles ! Encore une, pour plus de sûreté !

– J'espère juste qu'elle ne va pas me mettre une baffe parce que je viens sans ma mère, ajouta Lizzie.

– Non, c'est à moi qu'elle s'attaquera ! plaisanta Carina.

Nouveau fou rire. Andrea prit encore une photo.

– C'est la bonne ! annonça-t-elle. Vous êtes superbes, toutes les deux.

À cet instant, Carina sut que tout était arrangé avec Lizzie. Et dans la voiture, en route vers le gala, elles rirent tellement de ce qu'Ava porterait ce soir qu'elles n'eurent même pas un instant pour parler de leur dispute.

– J'ai trop hâte de voir ce que tu as fait pour la fête, dit Lizzie.

– Je ne veux pas trop m'avancer, mais je crois bien que j'ai le chic pour faire ça.

– Alors, Ava ne t'en veut plus ?

– Bah, un peu. Elle n'arrête pas de me rappeler subtilement les deux cents dollars que je lui dois toujours.

– Qu'est-ce que tu vas faire pour ça ?

Carina haussa les épaules.

– Essayer de la rembourser dès que possible. Mon père m'a dit qu'il allait augmenter un peu mon argent de poche. Alors j'espère que ça ne sera pas trop long.

Lizzie regardait dehors par la vitre.

– Tu t'es vraiment bien débrouillée avec cette histoire de vingt dollars par semaine, je voulais te le dire.

– Merci.

– Hudson, Todd et moi, on a quelques leçons à prendre de toi.

Carina comprit que c'était le moment d'aborder le sujet « Todd ».

– Tu sais, je trouve que Todd est génial, Liz. Et je suis désolée d'avoir dit n'importe quoi. Je crois que c'est parce que ça me fait un drôle d'effet de savoir qu'il compte autant pour toi. Autant que nous, tu vois ?

Lizzie lui prit la main.

– Ce ne sera jamais la même chose que ce qui nous lie toutes les trois. Jamais, jamais.

Carina lui retourna son sourire.

– D'accord.

– Et au fait, il sera là ce soir ? Ton DJ ?

– Uniquement parce que je l'ai supplié. Ne parie pas sur nous deux.

– Promets-moi simplement une chose. Quoi qu'il arrive ce soir, je veux que tu t'amuses. Parce que cette fête est autant la tienne que celle d'Ava.

Lizzie avait raison. C'était un peu sa soirée.

– OK, promis.

320

Max s'arrêta devant l'hôtel *Pierre*. Au même moment, un groupe de filles aux longs cheveux blonds, en robe noire moulante, franchirent les portes à tambour.

– C'est parti, dit Lizzie. Allons nous mêler aux sangs bleus.

Elles suivirent les blondes dans un long couloir garni d'épais tapis, puis dans un grand escalier, jusqu'à la salle de bal. En passant les portes, Lizzie et Carina hoquetèrent en même temps.

– Bien joué, parvint à articuler Lizzie en donnant un coup de coude à Carina.

Qui ne put qu'acquiescer.

Les invités évoluaient sur un parquet aussi vaste qu'un terrain de football, sous une série de lustres en cristal. L'éclairage posait des taches rose pâle et mauves sur les murs. Les superbes fleurs de Marisol ornaient les tables posées le long des murs, couvertes de gâteaux colorés et de petits fours de chez *Joe l'Épicier*, que des adolescents affamés engloutissaient joyeusement. Partout sur les tables, des chandelles étaient allumées. Et sur la scène, au-dessus de la piste de danse, éclairé par un spot rouge, se trouvait Alex, debout derrière ses platines tel un magicien, totalement immergé dans la musique qui inondait la salle.

– C'est quoi, cette musique ? demanda Lizzie.

- Sharon Jones and the Dap-Kings, lui apprit Carina. C'est génial.

– Hein ?

– Je te ferai écouter leurs albums.

Elles pénétrèrent dans la salle, sans s'éloigner l'une de l'autre. Les gens avaient l'air de s'amuser, mais Carina n'en avait pas encore la certitude.

– Personne ne danse, murmura-t-elle.

Lizzie lui donna une petite tape sur l'épaule.

– Ne t'en fais pas. Ça viendra. Au moins, personne ne s'en va.

– Coucou, Carina ! fit une voix joyeuse.

Une fille dotée d'une mèche violette sortit de l'ombre.

– Eh, Marisol ! s'exclama Carina en courant l'embrasser. Les fleurs sont sublimes !

– Merci, répondit la jeune fille, les yeux brillants, en tirant sur sa mèche colorée. Et merci encore de m'avoir envoyé une invitation.

– Oh mon Dieu, qu'est-ce que tu portes ? lui demanda Lizzie. Ta robe est incroyable !

– Quoi, ça ?

Marisol tendit les bords de sa robe-tee-shirt. Elle était noir et blanc à rayures, avec de fausses épaulettes et un ourlet effiloché.

– Je l'ai faite moi-même.

Lizzie l'examinait sous toutes les coutures.

– C'est vrai ?

– Pour être franche, je l'ai copiée sur un modèle que j'avais vu dans un magasin du Lower East Side. (Elle tourna sur elle-même.) Mais j'adore le côté *girly*.

– Attends, j'ai une idée, dit Carina. Ça te dirait d'être chercheuse de tendances pour le magazine *Princesse* ?

– D'être quoi ?

– Ils cherchent de vrais ados qui ont du style et qui savent flairer la mode avant tout le monde. Ça te plairait de faire ça ? Je pense que tu serais parfaite.

Les traits de Marisol s'illuminèrent.

– Bien sûr. J'adore *Princesse*.

– Ah bon ? s'étonna Carina.

– Oui ! C'est mon péché mignon. Je le lis depuis que j'ai six ans. Tu connais les rédactrices ?

Carina ne répondit pas tout de suite. Alex n'avait toujours rien dit sur elle à son entourage. Elle ne l'en aimait que davantage.

– Je t'expliquerai ça plus tard. Mais je t'envoie leurs coordonnées par mail.

– OK, cool ! s'enthousiasma Marisol. Tiens, va dire bonjour à mon frère. Il t'attendait avec impatience. (Elle se couvrit la bouche de la main.) Oups ! Je n'étais pas censée te dire ça.

Cette nouvelle envoya un frisson dans l'échine de Carina, mais en regardant vers la scène, elle reconnut la silhouette unique d'Ava, dans la robe fendue violette, qui s'approchait à grandes enjambées, les mains sur les hanches.

– Carina ? Je peux te parler ?

Carina se raidit.

– Bonsoir, Ava. Quel plaisir de te voir.

Mais l'autre croisa les bras sur son décolleté avantageux.

– Qu'est-ce que tu fabriquais ? Je n'ai pas arrêté de t'envoyer des SMS.

Carina sentit son cœur se serrer.

– Pourquoi ? Quel est le problème ?

– Il n'y a pas de problème, lâcha innocemment Ava. Je voulais juste te raconter que cinq personnes sont venues me dire que c'était le plus beau gala du Flocon de neige auquel elles soient jamais allées. Même des gens d'Exeter. Je dois reconnaître que tu t'es formidablement bien débrouillée.

323

– Tant mieux, je suis bien contente.

À vrai dire, ces éloges la rendaient folle de joie.

– Et je ne sais pas comment ça se fait, mais il y a même un photographe du *Times*, ajouta Ava en désignant un jeune homme qui photographiait des lycéens sur la piste de danse. C'est toi qui as fait ça ?

Carina sourit intérieurement. Son père pouvait vraiment être génial, parfois.

– Écoute, Ava, pour les deux cents dollars que je te dois, je tiens à ce que tu saches que je pourrai te les rendre très bientôt, genre après les vacances...

– Oh, ne t'en fais pas pour ça.

– Pardon ?

– Tu peux les garder. Tu les mérites. Tu les as bien gagnés.

Ava posa alors une main sur son épaule pour mieux regarder sa tenue.

– Jolie robe, au fait.

– Merci, dit Carina, abasourdie par tous ces compliments.

– Tu penses que ça va, mes cheveux ? demanda Ava en se retournant pour la laisser admirer son chignon compliqué.

Carina soupira pour elle-même. Ava n'était peut-être pas complètement mauvaise, au fond, mais elle ne changerait jamais.

– Fabuleux, répondit-elle.

La jeune fille se retourna, faisant voler une mèche libre.

– Merci. Je suis allée chez Fekkai.

Elle s'en alla de son côté, et Carina se rapprocha de la scène. Elle se sentait irrésistiblement attirée dans la direction d'Alex. Elle avait envie d'être auprès de lui, voilà tout.

Elle gravit les marches et se dirigea vers les platines. Il portait une écharpe noire lâchement enroulée autour du cou, un fin tee-shirt rouge, un jean slim gris et ses vieilles Stan Smith. Elle adorait le fait qu'il soit si différent de tous les garçons présents, qui se pavanaient en costume sombre et cravate. Comme d'habitude, il était totalement concentré sur les disques qui tournaient, et tenait un casque contre son oreille.

Il leva les yeux à son approche.

– Pas trop tôt, dis donc. C'est pas toi qui donnes cette fête ?

– Les gens chics arrivent toujours en retard ! blagua-t-elle.

Elle voyait à présent que son tee-shirt était décoré d'une image qu'elle connaissait. Le même couple que sur le DVD qu'il lui avait montré.

– Tu es *in the mood for love*, à ce que je vois, le taquina-t-elle.

Il regarda le vêtement et sourit.

– J'ai pensé que ça me donnerait le courage de faire ce à quoi je pense depuis des jours.

– C'est-à-dire ?

Il la prit par la main et l'entraîna dans les coulisses.

– Ça.

Et il se pencha vers elle.

Carina ferma les yeux et retint son souffle. La musique tourbillonnait autour d'eux, et dans sa tête elle visualisa un luxuriant paysage tropical, plein de palmiers oscillant dans la brise et de douces vaguelettes. Sans rouvrir les yeux, elle se rapprocha de lui, et il lui enlaça la taille. À l'instant où leurs lèvres se touchèrent, elle sentit ses genoux se ramollir comme du caoutchouc. Jamais elle n'aurait imaginé qu'un garçon qui était son ami puisse embrasser si bien. Mais elle était ravie de constater son erreur.

Ils restèrent là pendant un temps infini, jusqu'au moment où Carina sentit qu'on lui tapait sur l'épaule. Ouvrant les yeux, elle découvrit Hudson devant elle.

– Pardon de te déranger, mais je crois que je passe bientôt.

– Oh, tu es sublime ! s'écria Carina d'une voix stridente.

C'était vrai. Pour la première fois de sa vie, Hudson avait réellement l'air d'une star. Ses cheveux avaient été lissés, puis bouclés pour former de douces vagues romantiques, et ses yeux étaient superbement soulignés de khôl violet. Elle portait une robe-débardeur noire qui mettait en valeur ses bras fermes et sa taille fine, et de longues boucles d'oreilles dorées faites d'anneaux imbriqués.

– Comme je suis contente de t'avoir obligée à faire ça ! s'enthousiasma Carina en sautillant sur place. Oh, au fait, je te présente Alex.

– Bonsoir, enchantée, dit Hudson. J'ai beaucoup entendu parler de toi.

– Salut, répondit Alex en lui serrant la main. Euh... désolé de changer de sujet, mais... c'est bien Holla Jones que je vois là-bas ?

Il pointa le doigt vers le fond de la scène, où, en effet, Carina aperçut la silhouette menue et les bras musclés de Holla Jones.

– C'est la mère de Hudson, expliqua Carina.

Alex eut un discret mouvement de surprise avant de se ressaisir.

– Eh bien ! C'est pas n'importe quoi, le collège où vous allez.

– Comment te sens-tu ? demanda Carina à Hudson. Tu as le trac ?

Hudson déglutit et hocha la tête.

– Je crois qu'on peut dire ça, répondit-elle vaguement.

– Allez, tu vas les tuer ! lança Carina en lui prenant la main. N'aie pas peur.

– C., je ne vais pas surfer une grosse vague !

Carina éclata d'un rire sonore. Hudson pouvait avoir un humour vachard, quand elle le voulait.

– OK, alors je te dis bonne chance, tout simplement.

Elle attendit qu'Alex ait fini son morceau, puis descendit avec lui sur la piste de danse. Lizzie et Todd s'approchèrent d'eux dans le noir tandis que les techniciens de Hudson installaient son matériel.

– Elle va commencer bientôt ? demanda Lizzie à Carina.

– D'une minute à l'autre. Eh, je te présente Alex. Le DJ dont je t'ai parlé.

– Ah oui ! Enchantée.

– Moi aussi, dit Alex en lui serrant la main.

Et pendant qu'il ne regardait pas, Lizzie fit un clin d'œil à Carina.

– Pourquoi est-ce que j'ai l'impression de la connaître ? lui demanda-t-il à l'oreille.

– Elle est mannequin, lui apprit Carina, toute gonflée de fierté.

Soudain, Ava s'engagea sur la scène et rejoignit le micro sur pied qu'un technicien y avait installé.

– Merci à tous d'être ici ce soir, brailla-t-elle dans le

micro. Et maintenant, j'ai le plaisir de vous présenter le prochain phénomène musical, qui fait ce soir sa première scène, la fille de Holla Jones et ma très bonne amie Hudson Jones !

Les lumières se tamisèrent et le public applaudit. Lizzie et Carina échangèrent un regard complice. On pouvait compter sur Ava pour tout ramener à elle.

Enfin, Hudson apparut sur la scène. Elle semblait terrifiée mais décidée à surmonter l'épreuve, et elle avança vers le micro, un étroit spot blanc braqué sur elle. Parmi les applaudissements, on put entendre quelques sifflets et quelques « Trop belle ! » Elle tendit la main vers le micro.

– Bonsoir à tous, dit-elle d'une voix douce. C'est bon de vous voir réunis ici ce soir.

Un silence assourdissant se fit dans la salle.

– Cette chanson est tirée de mon premier album. Elle s'intitule *Heartbeat*.

Hudson baissa la tête. Une bande-son commença à jouer : un tempo rapide et entraînant, qui ressemblait plus à la musique de Holla qu'à celle de Hudson.

Celle-ci gardait la tête baissée, écoutant l'instrumental, attendant le moment où elle devait commencer à chanter. Elle releva la tête et fit face au public, porta le micro à ses lèvres, et... rien ne se passa.

Dans le noir, Lizzie agrippa le bras de Carina.

Hudson déglutit, sembla se reprendre, porta une nouvelle fois le micro à ses lèvres. Cette fois, elle ouvrit la bouche, prête à démarrer... et aucun son ne sortit.

La main de Lizzie se resserra autour du bras de Carina.

Sur la scène, Hudson, paralysée sous le spot, commençait

à trembler. La bande-son continuait impitoyablement. Et soudain, comme au ralenti, Hudson laissa tomber le micro. Un grand *boum !* résonna dans toute la salle. Alors, elle partit en courant.

– Mon Dieu, murmura Carina.

– Elle a le trac, constata Lizzie.

– Tout est ma faute. Tout !

– Arrête, ça va aller, dit Lizzie en lui prenant le bras pour la consoler. Il faut juste qu'on la retrouve.

Carina suivit Lizzie, qui bousculait les techniciens pour passer. *Pardon, Hudson,* pensa-t-elle. *Je ne me doutais pas. Je suis désolée, terriblement désolée.*

Et tout en courant vers la scène, elle se demanda si la carrière de Hudson Jones ne venait pas de prendre fin avant même d'avoir démarré.

Remerciements

Un énorme merci à Becka Oliver, Elizabeth Bewley, Kate Sullivan, Cindy Eagan, Amanda Hong, David Ramm, Fionn Davenport, Jay Tidmarsh, Jill Cagerman et Ido Ostrowsky.

Et aussi à JJ Philbin. Ma sœur, ma meilleure amie *et* mon écrivain préféré.

Et aussi un merci format géant à Adam Brown et Edie, qui sont entrés en scène alors que j'écrivais ce livre et ont changé ma vie. Je vous aime.

D'autres livres

Jodi Lynn ANDERSON, *Peau de pêche*
Jodi Lynn ANDERSON, *Secrets de pêches*
Jodi Lynn ANDERSON, *Un amour de pêche*
Jennifer Lynn BARNES, *Felicity James*
Jennifer Lynn BARNES, *Tattoo*
Candace BUSHNELL, *Le Journal de Carrie*
Candace BUSHNELL, *Summer and the City*
Meg CABOT, *Une (irrésistible) envie de sucré*
Meg CABOT, *Une (irrésistible) envie d'aimer*
Meg CABOT, *Une (irrésistible) envie de dire oui*
Elizabeth CRAFT et Sarah FAIN, *Comme des sœurs*
Elizabeth CRAFT et Sarah FAIN, *Amies pour la vie*
Melissa DE LA CRUZ, *Un été pour tout changer*
Melissa DE LA CRUZ, *Fabuleux bains de minuit*
Melissa DE LA CRUZ, *Une saison en bikini*
Melissa DE LA CRUZ, *Glamour toujours*
Melissa DE LA CRUZ, *Les Vampires de Manhattan*
Melissa DE LA CRUZ, *Les Sang-Bleu*
Melissa DE LA CRUZ, *Les Sang-d'Argent*
Melissa DE LA CRUZ, *Le Baiser du Vampire*
Melissa DE LA CRUZ, *Le Secret de l'Ange*
Melissa DE LA CRUZ, *La Promesse des Immortels*
Melissa DE LA CRUZ, *Bloody Valentine*
Jenny HAN, *L'Été où je suis devenue jolie*
Jenny HAN, *L'Été où je t'ai retrouvé*
Rachel HAWKINS, *Hex Hall*
Joanna PHILBIN, *Manhattan Girls*
Yvonne PRINZ, *Princesse Vinyle*
Chloë RAYBAN, *Les Futures Vies de Justine*
Chloë RAYBAN, *Dans la peau d'un garçon*
Chloë RAYBAN, *Justine sérieusement amoureuse*

www.wiz.fr
Logo Wiz : Cédric Gatillon

Composition Nord Compo
Impression CPI Bussière en mai 2012
à Saint-Amand-Montrond (Cher)
Éditions Albin Michel
22, rue Huyghens, 75014 Paris
ISBN : 978-2-226-24249-5
ISSN : 1637-0236
N° d'édition : 19919/01. – N° d'impression : 121533/4.
Dépôt légal : juin 2012.
Loi n° 49-956 du 16 juillet 1949 sur les publications destinées à la jeunesse.
Imprimé en France.